あのとき僕は

シェルパ斉藤の青春記

本書は『市民タイムス』（2020年4月4日～2022年3月26日）に連載された「あのとき僕は」（全101回）を加筆修正して、再編集しました。

プロローグ

　時代が昭和から平成に変わった年に、アウトドア雑誌『ビーパル』でシェルパ斉藤のペンネームを冠した旅の連載をはじめた。

　基本は歩く旅だ。どこでも寝泊まりできる野営道具が入ったバックパックを背負って、全国各地の山や野道を歩いて旅をする。山だけでなく、島や古道や巡礼路も歩き、海外のロングトレイルも歩いて旅をする。歩く旅が好きだから、ふたりの息子や旅のパートナーである犬たちは名前に「歩」の字をつけている。一歩、南歩、ニホ、サンポ、トッポ、センポ、というように。

　歩く旅以外にも自転車、オートバイ、ヒッチハイク、耕うん機など、自由なスタイルの旅を30年以上続けて、それらの旅を執筆して雑誌に掲載したり、単行本にまとめて出版したりしてきた。これまで世に出した著作は30冊を超える。

　雑誌や本に寄稿する物書きを生業にしているから、端くれとはいえ作家だと名乗れるけれど、僕は自らを本物の作家と称している。その理由は、自分の手で家を作ったからだ。

　1995年に東京から八ヶ岳南麓に移り住んで、仲間とともにアメリカから輸入したキットのログハウスをセルフビルドした。作家は作る家と書くから、物書きでありながら家を作った僕は本物の作家を名乗っても偽りではない。

わが家の田舎暮らしは、曜日で表現できる。月を愛《め》で、薪ストーブで暖をとり、五右衛門風呂を沸かし、炭火で調理し、焚き火で和《なご》む。敷地の隣を流れる川で水に戯《たわむ》れ、森に接した木の家に暮らし、金を得るために原稿を書く。土を耕して野菜を育て、日光で発電したエネルギーを使う。金銭的にではなく、精神的に豊かな生活をわが家は楽しんでいる。

以上の話は、これまでにも雑誌や著作に記してきた。

でもそれ以前の話、山村で暮らした少年時代から信州松本で過ごした青春時代、就職することなくフリーランスの物書きになるまでの半生はきちんと書き記していない。

いつか書こう。書かなくては、と思いながらも手をつけることができずに歳月が流れた。もうすぐ還暦を迎える。いまのうちに書いておかなければ記憶が薄れていく、と焦りを感じはじめたタイミングで、高校卒業まで暮らした松本の地域新聞から連載依頼の話が舞い込んだ。新型コロナウイルスの感染拡大がはじまり、遠くへ旅に出にくい時期でもあった。運命かもしれない。ずっと書けずにいた過去の話をいまこそ書くべきだと啓示を受けた気になった。

故郷の人々、僕の人生と重なった人々に手紙を書くつもりで原稿を書こう。事実と異なった記憶違いでもいいから、あのとき僕はこう思っていたんだ、と手紙で伝えよう。

そう考えて、週に一度の手紙をしたためる感覚でかつての時代と自分を書きはじめた。

話は半世紀以上前。2歳上の兄と5歳下の弟がいる僕が山村の小学校に入学した昭和40年前後からはじまる。

目次

Ⅰ 少年時代

狭い谷の大きな家の物語

僕らが暮らす集落は空が狭かった。

山に囲まれた谷間の村だったから、午前10時近くまで陽射しがなかったし、午後2時過ぎには太陽が山に隠れた。朝焼けと夕焼けの空は見ていたけれど、昇る朝日も沈む夕日も見たことがなかった。小学生になって初めて日本海に行って、海に沈むオレンジの夕日を見たときは太陽の大きさに怖さを感じたほどだ。

集落の標高は1000m前後の高地で、夏は涼しく、冬は寒かった。テレビやマンガで東京の子供たちが冬でも半ズボンでいる姿を見て驚いた。のちに知り合う世界を旅した新聞記者は、冬にわが村を旅して「シベリアよりも寒かった」と漏らしている。雪も深くて、冬になると少年の身長より高く雪が積もることがあり、雪だるまやカマクラを作ったり、ソリや長靴のスキーで裏山の斜面を滑ったりして子供たちは遊んだ。

集落のまん中を川が流れていた。流れる音が家まで聞こえるくらい流れは激しかったが、水は清く、泳ぐイワナの姿を橋の上から確認できた。近所に釣りの名人がいて、魚を釣り上げる瞬間を眺めるのが僕たちは好きだった。

村には信号も横断歩道もなかった。松本市内まで出るのにクルマで1時間以上かかり、松本行きのバスは1日3本だけだった。

村では停電がたびたび起きた。原因はわからない。何日間も電気が通じないこともあり、どの家も突然の停電に備えて、懐中電灯やろうそくを準備していた。ろうそくの火で過ごした夜が多かったこともあり、村の夜はとても暗かった印象がある。星空が美しかったはずだが、集落は空が狭かったから星を眺めた記憶があまりない。

わが集落は村の中心であり、川の向こう側に村役場と郵便局、商店、農協があった。そこから下流へ少し歩くと小学校と中学校があった。大人の足ならわが家から主要施設を巡って家に帰るまで20分もかからないと思う。

そんな狭い集落で、わが家は旅館と酒屋を営んでいた。お客を泊めることができる建物だったから、家はかなり大きかった。1階の奥の間は襖《ふすま》を取り払えば30畳ほどあり、葬式や法事はすべて自宅で執り行なっていた。2階の奥には使われなくなった蚕《かいこ》部屋もあって、近寄りがたい不気味な部屋も2階の奥にはあった。木造の古い家屋だったが、立派な材が使われていたらしく、宿泊したお客さんが建物をよく褒めていたと後年に母から聞かされた。

父は祖父から継いだ運送と建設の会社を経営していたが、その会社は村になく、松本の郊外にあった。父の実家は松本市内にあったから、父は実家に泊まることも多かった。父と家で遊んだ記憶がほとんどない。『大草原の小さな家』というアメリカのテレビドラマがあったけど、わが家は正反対だった。狭い谷の大きな家、が少年時代の原風景だ。

村の12番だったわが家

物心ついた頃、家の電話機にはダイヤルがなかった。のっぺりとした黒い電話機の端に小さなハンドルがついていて、それをぐるぐる回して電話局を呼び出す。交換手が出たら「○番をお願いします」と相手先の番号を告げてつないでもらう。村外へ電話をかけるときは「市外をお願いします」と頼むのだが、時間がかかることが多かった。30分以上待たされることもあった気がする。

父が経営していた建設会社は村外にあったので市外に電話をかけることが多く、父は受話器を手に「どれだけ待たせるんだ！」としょっちゅう怒鳴っていた。電話をしているときの父は近寄りがたいほど怖かった。

村の電話番号は役場が1番で、学校が2番、旅館と酒屋を営んでいたうちは12番だった。村内におけるうちの位置づけはそのくらいだったのだろう。村内で僕ら3人兄弟は「○○屋の息子」として認知されていた。

旅館と酒屋は父の家系が営んでおり、嫁いできた母がお手伝いさんたちとともに切り盛りしていた。宿泊業と酒屋の両立は大変だったと思う。でも、見知らぬ大人が家に出入りすることが少年には刺激的だった。山に囲まれた狭い村で育った僕は、うちに泊まりにくる大人たちに対して遠い世界への憧れを抱いていたのかもしれない。

いまでも覚えている大人は、毎年村へ行商にやって来たS田さんだ。その名を聞くだけで甘酸っぱい気持ちになるのは、S田さんが定宿の子である僕ら兄弟をかわいがってくれたからだと思う。S田さんが「俺はこの村に来るのを楽しみにしてる」と口にしたことがあり、子供心にもその言葉がうれしかった覚えがある。

越中富山の薬売りもときどき泊まりにきた。クルマではなく、1日3本運行している松本からのバスに乗ってやってくるのだが、大きな荷物を背負ってうちに歩いてくる姿を頼もしく思った。

旅館と違って、酒屋に来るお客さんはほぼ村人だった。

同級生がお使いで買いに来ることも多かった。酒を買っていく以外にうちで飲んでいく客もいた。地下足袋《じかたび》を履いていたから林業関係者だったと思うが、夕方になるとうちに立ち寄ってコップ酒を一杯だけ飲んでいくおじさんがいた。

おじさんは店の上がり框《かまち》に腰を下ろし、母がガラスコップになみなみと注いだ日本酒をゆっくりとおいしそうに飲む。酒の肴《さかな》はない。おじさんはひとりで飲んでいるのに、途中からしみじみとひとりで語り出す。

「いや、そうじゃあるめえ。おめえの気持ちもよくわかるよ。うん」と、芝居のように話をする。

変なおじさんだな、と思って僕は遠目に眺めていたが、自分が大人になったいまは、そのおじさんが愛《いと》おしく感じる。

村にあった2軒のお店

村の集落には店が2軒並んでいた。

役場のはす向かいのS藤商店は村のスーパーマーケットであり、ホームセンターであり、デパートでもあった。2階にも売り場があり、村で一番大きい店だったが、小学校に入って初めて松本へ出かけた同級生が「松本にはS藤商店がたくさんある」と興奮したくらいだから、たいして大きな店ではなかったはずだ。

多くの村人が買い物をするS藤商店は、子供にとっても憧れの店だった。S藤商店ではおもちゃやプラモデルも売っていたからだ。数えられる程度の商品しかなかったが、階段下の売り場に並ぶプラモデルの箱には胸がときめいた。

プラモデルはS藤商店の主人が定期的に仕入れてくる。戦車や戦闘機などのときもあれば、スポーツカーや怪獣のときもあった。

僕は毎月のお小遣いを貯めてS藤商店でプラモデルを買うのが楽しみだったが、集めたプラモデルの種類には一貫性がなかった。それは僕に選択権がなく、S藤商店に入荷したプラモデルを買うしかなかったからである。

松本にはおもちゃ屋があって、そこにはプラモデルがたくさん揃っていて、自分が欲しいものを自由に選んで買える。松本で暮らす子供たちをうらやましく思ったが、今月はどんなプラモデルが入荷したのか、ワクワクしながらS藤商店に入るときの興奮は、村の店でしか味わえない幸せな時間だったと思う。

もう1軒の店、S藤商店の隣にあるS元屋は老夫婦が営む小さなよろず屋だった。生鮮食品はなく、日用品が少しあるだけの店だったが、S元屋では新聞を取り扱っていた。松本からバスで届く新聞が並べられ、村人はそれをとりにいく。新聞は配達してもらうものではなく、S元屋にとりにいくことが村の常識だった。

僕もときどきS元屋に出かけた。上がり框《かまち》の床に並べられた新聞のなかから、自分の家の名が書かれた新聞を持って帰るのだ。S元屋のおばあちゃんは新聞の片隅に鉛筆で各家庭の名を書いていたが、達筆だったおばあちゃんの鉛筆の字がかっこよく見えたし、床に並んだ新聞のインクの匂いも印象的だった。おばあちゃんの顔は覚えてないが、S元屋へのおつかいが嫌いでなかったのは、おばあちゃんが子供たちに優しかったからかもしれない。

村を離れて高校を卒業した僕は、自活するために東京で新聞奨学生となって住み込みで働くことになる。

新聞を取りにいっていた自分が配る立場になったわけだが、新聞配達の初日、販売所に届いた新聞の束を開けたときの匂いに、S元屋のおばあちゃんの字を懐かしく思った。

こどもの日の「かまめし」

生まれ育った村の集落には同級生が3人いた。仲が悪かったわけではないけど、学校以外で同級生たちと遊んだ記憶があまりない。同級生よりも隣近所の子供たちと遊んでいた気がする。

隣の家はうちと家族構成が似ていた。うちよりひとり多い男だけの4人兄弟で、次男が兄と同い年で、三男は僕の1歳下だった。

すぐ近くの家にも、そのまた隣の家にも年齢が近い子供がいて、半径100m以内の子供たちで遊びの輪が確立していた。過疎の山村だったけど、近所に限定すれば子供の密度はそこそこ高かったのである。

わが家が旅館と酒屋を営んでいて敷地が広かったものだから、うちの庭や近くのお寺の境内に近所の子供が集まることが多かった。

おもちゃはほとんどなかった。鬼ごっこやかくれんぼぐらいしか記憶にない。ほとんどの場所が土だったから、子供たちはいつも埃《ほこり》まみれだった。

でも僕は外で積極的に遊ぶ子供ではなかった。小学校に入るまでは、部屋で過ごす時間が多いインドアの子供だった。いまでこそテントで寝泊まりしながら世界各地を旅するバックパッカーの僕だけど、幼少時代は外に出ることを億劫《おっくう》に感じていた子供だったのだ。
そんな僕の初めてのアウトドア体験は、小学校に入って1ヶ月後のこどもの日だ。

地区では毎年5月5日に「かまめし」という行事が行なわれていた。集落の小学校1年生から6年生までの子供たちだけで鍋と米を持って野に出かけ、ごはんを炊いて食べるのである。

大人は同行せず、口出しもせず、すべて子供たちにまかせる。こどもの日にふさわしい行事だと思う。季節も外遊びに最適で、子供たちは勇んで新緑が美しい野に出かけた。

正しい名前の由来は知らないが、かまどを作って炊飯するから「かまめし」だったんじゃないだろうか。

川沿いの野原に着くと、6年生がリーダーとなってみんなで河原の石を積んでかまどを作る。そして流木や枯れ枝を集めて火をおこし、ごはんを炊く。

1年生にとって6年生は大人の世界に近い兄貴分だ。焚き火ができて、ごはんを炊ける上級生たちが頼もしく映った。憧れと尊敬の念を抱いたように思う。学校の授業以外に大事な勉強があることを「かまめし」は子供たちに教えてくれたのである。

炊き上がったごはんをどう食べたのか、記憶にない。おかずは何もなかったかもしれない。風薫る空の下、自分たちで炊いたごはんをみんなで食べる「かまめし」は最高においしかった。

あの「峠の釜めし」に負けていないと、いまでも思う。

ワラビ採り遠足の思い出

八ヶ岳南麓で暮らしている僕は、毎朝、食事の前に妻と犬の散歩に出かけている。

その道中に野原があり、5月になると山菜のワラビが顔を出す。そのワラビを片手に収まる程度採って帰ることが初夏の散歩の楽しみになっているが、小さなワラビを手にすると、子供の頃の記憶が浮かぶ。

生まれ育った山村の小学校では毎年5月にワラビ採り遠足と称する行事が行なわれていた。普通の遠足とは別に、ワラビの採集を目的に全校児童が野へ出かける遠足だ。採ったワラビは山菜を加工販売する業者に売り、その収益は図書館の本の購入に充てていた。

上級生と下級生ではワラビの採集量に大きな差があったし、同学年でもたくさん採る子と少ししか採れない子の差が大きかった。

みんなが1日かけて採ったワラビは体育館に集められる。ブルーシートが敷かれ、そこにワラビがずらりと並ぶが、少ししか採れない子のワラビは判別できた。たくさん採る子はワラビを持ちきれないからすぐリュックサックに入れるが、採れない子はようやく採れたワラビをずっと手に持って歩く。そのためワラビの茎がテカってしまうのだ。

僕は採れない側の子だった。自分のペースでワラビを採りたくても、たくさん採る子が自分の目の前にあるワラビをさっと採ってしまう。「僕が見つけたワラビなのに」と何度もくやしい思いを味わった。だからいま、犬の散歩の帰りに誰にも横取りされずにワラビを採れることがささやかな喜びだったりする。

あれは何年生のときだったろうか。カメラを持った見知らぬ男性がワラビ遠足に現れ、僕らの姿を写真に収めた。カメラが高級品の時代だから、写してもらえることが僕らはうれしくて、われ先にとカメラの前に身を乗り出した。

当時人気のあった主婦向け雑誌が取材に来たことをあとで知らされたが、発売されたその雑誌を目にした村の大人たちは憤《いきどお》っていた。

記事には『信州の過疎地を行く』といったタイトルがつけられていたのだ。

信州の山奥にはこんなに貧しい寒村があると、世界の辺境の地のようにわが村を紹介しており、僕らが写ったワラビ採り遠足の写真には「子供たちはワラビを採って日々の生活の糧《かて》にしている」といったデタラメなキャプションが書かれてあった。

僕らは傷ついたし、都合がいいように記事をでっちあげる記者はひどい、あんな大人になりたくないと、子供心に強く思った。

大人になった僕は雑誌に原稿を書く立場にいるわけだが、真摯《しんし》に取材する姿勢を保ち続けていられるのは、あの記事のおかげかもしれない。

曽祖母と『ウルトラQ』

うちから200mほど離れた場所に母方の実家があり、曽祖母がひとりで暮らしていた。祖母は物腰が柔らかく、見るからに優しいおばあちゃんだったが、明治生まれの曽祖母には芯の強さを感じた。

曽祖母は毎日モンペをはいて野良仕事に出て、キセルタバコを吹かす。顔のしわが深くて表情は険しかったけど、母や僕ら兄弟は曽祖母に愛されていたと思う。後年になって、井上靖の小説『しろばんば』を読んだとき、登場人物の婆さんが曽祖母と重なったのは、子供心に曽祖母の愛情を感じていたからだろう。

当時、小学校では夏休み明けに薬草のゲンノショウコを提出する課題があった。

ワラビ採り遠足のように、ゲンノショウコを出荷して図書館の本の購入費などに充てるのである。しかし小学生が山でゲンノショウコを採集するのはむずかしかったし、父も母も仕事が忙しくて手助けできる状況になかった。そんな僕らを曽祖母は救ってくれた。

曽祖母は腰が曲がっているのに軽快な足どりで山を歩き、山菜や薬草を簡単に採集する。夏休みの終わりに曽祖母の家に行くと、僕ら兄弟分のゲンノショウコが束になって用意されており、僕らはそれを抱えて登校した。他の児童たちが学校に持ってくるゲンノショウコよりも曽祖母が採ってくれたゲンノショウコのほうが立派に思えて、それが誇らしかった。

クリスマスが近づくと、曽祖母は毎年わが家に大きなモミの木を持ってきた。クリスマスツリーを作るための木で、曽祖母は大きなモミの木を自分の山で自ら伐採していた。

曽祖母の家の裏を流れる小川では小さなタニシが獲れたし、蛍も乱舞していた。曽祖母の家に行くのはいつでも楽しかったが、ひとつだけ怖い思い出がある。

特撮番組の『ウルトラQ』の放映がはじまったときのことだ。

正義のヒーローが怪獣をやっつける単純なウルトラマンと違って、怪奇現象や不可解な事件が起きる『ウルトラQ』は不気味だったけど、怖いもの見たさもあって毎週欠かさず観ていた。当時、村では民放の局がひとつしか受信できず、毎週日曜日の夜7時に放送される『ウルトラQ』は最高の娯楽番組だったのだ。

ところがあるとき、うちのテレビが壊れてしまった。僕と2歳上の兄は曽祖母の家に『ウルトラQ』を観に出かけたのだが、その帰り道に恐怖を味わった。

村には街灯なんてなく、夜は暗闇に包まれる。夜の田舎道は普段でも怖いのに、『ウルトラQ』を観たあとだったから恐怖は倍増した。途中にお墓の脇を通る箇所もあって、僕は懐中電灯を持つ兄の手を強く握り、泣きそうになって真っ暗な夜道を歩いた。曽祖母は何も悪くないのに、曽祖母を恨めしく思い、しばらくは曽祖母の家から遠ざかってしまった。バカなひ孫でごめんねと、天国のひいおばあちゃんに謝りたい。

叔父のダンプカー

祖父の急逝により、父は20代で運送と土木建設の会社を引き継いだ。そのため僕が物心つく以前から父は周囲の人々から「社長!」と呼ばれていた。

20代で社長になるなんて、戸惑いや苦労があっただろう。おだてられて自分を見失った部分もあったと思う。記憶のなかの父は傲慢《ごうまん》なワンマン社長だった。柔道をしていて体格がよかったこともあり、僕は父を漠然と恐れていた。父に対して心を開くことができず、素直に甘えることもできない息子だった。

父は家を留守にすることも多かったため、父に遊んでもらった記憶がほとんどない。そんな僕を父親代わりにかわいがってくれたのは、父よりひと回りほど年下の叔父だ。

叔父は父の会社で働いていた。大阪の大学を中退して、父の会社を手伝っていた。人々に愛される明るい性格で、家にもちょくちょく顔を出して僕ら兄弟の面倒をよくみてくれた。

若かった叔父はダンプカーを運転して村内の現場を行き来していた。小学校が休みの日は、僕ら兄弟を自分が運転するダンプカーに乗せてくれた。

子供にとって働くクルマはスーパーマシンだ。大きくて頑丈なダンプカーが、鉄人28号と同じくらい強くてかっこいい乗り物に見えた。

助手席によじ登って眺める外の景色は格別だったし、轟音《ごうおん》を響かせてゆっくり動く重厚な走りも刺激的だった。その巨大なマシンを意のままに操って村内の狭い道路を運転する叔父に対して、小学生の僕は憧れと尊敬の念を抱いていた。

当時、村では下流に巨大なダムを建設しており、たくさんのダンプカーが村内の道路を行き来していた。

ダンプカー同士はすれ違えないから、どちらかが待機場で待って道を譲り合う。すれ違うとき、叔父も相手のドライバーも手を上げてあいさつを交わすのだが、そのポーズもかっこよく思えて、僕も叔父を真似てポーズをとったりした。

夏休みになると毎日のように叔父のダンプカーに乗せてもらった。ときには朝から夕方まで同乗させてもらったが、飽きることはなかった。僕と兄にとっては、叔父のダンプカーが夏休みの娯楽だったのだ。

あるとき、自分たちがいま走っている道路も周囲の家も、ダムができたらすべて水没することを知ってショックを受けた。住民がいなくなってから水が溜められることは理解していたけれど、集落がすべて水に沈んで消滅してしまうことが、感覚的に恐ろしかった。

そんなことにおびえる臆病な少年だったから、巨大なダンプカーに乗せてもらえることで、自分が強くなった錯覚に酔っていたのかもしれない。

わが村に新しい学校ができた

下流に巨大なダムができて、村は大きく変わった。

ダムに沿ってトンネルが何本も掘られてインフラ整備が進み、小中学校が新築された。

僕が小学2年生まで通っていた小学校は川沿いの古い木造校舎だったが、鉄筋コンクリートの校舎が高台に建設された。

子供には計りしれないが、ダムの建設に伴う政治的な力が働いたり、お金が動いたりしたのだろう。新校舎は山村に似つかわしくない近代的な建物だった。古い木造校舎は風が吹くと窓がガタガタと揺れたが、新校舎のアルミサッシの窓は風が吹いても音がしない。古い木造校舎の暖房はダルマストーブで、焚きつけを持参するストーブ当番もあったが、新校舎はスチームのボイラーで教室がポカポカに暖まった。

新校舎が完成したあと、全国紙の『小学生新聞』に「山深い村に立派な新校舎」といった内容で、写真とともにわが校の建物や設備が紹介された。子供心に誇らしく思ったが、村の大人たちは子供以上に浮かれていたと思う。新校舎が完成したときは村を挙げて盛大な落成式が行なわれた。

式は村長にはじまり、村のお偉いさんたちや教育関係者の祝辞が延々と続いた。

どの祝辞もワンパターンで、美辞麗句《びじれいく》のオンパレードだった。その手のスピーチは大人になったいま聞いてもつまらないんだから、小学生にとっては苦痛以外の何物でもなかったはずだ。実際の時間はそれほど長くなかったかもしれないが、祝辞だけで半日を費やした印象がある。新しい校歌をみんなで合唱したときは、式が終わる安堵感を味わった。

でも落成式以外は楽しいことが待っていた。

新しい学校は、これまでの本校とふたつの分校が統合された小学校でもあった。本校に通っていたときの同級生は15人程度しかいなかったが、統合によって同級生が倍近く増えた。

初めて新しい教室に入ってみんなが顔を合わせたときは期待感と緊張感に包まれた。

いま思えば不思議だけど、本校と分校は距離が5㎞も離れていなかったのに、本校に通っていた僕は分校の子供たちをほとんど見たことがなかった。

排他的かつ閉鎖的なムラ社会だったのか、村人たちはお互いに対抗意識を持っていて、積極的な交流がなかったように思う。そんな村で生まれ育った子供たちだったから、ひとつの教室に集められてもすぐには打ち解け合うことができなかった。

でも新しい友達ができることをいやがる子供がいるはずもない。不器用な山村の子供たちだって、時が経てば自然と仲良くなれる。みんなの名前を覚えた頃には、クラスはひとつになった。

友達が増えたことで僕は以前よりも学校が好きになった。

もしかして初恋？　と思える体験も新しい学校と新しいクラスメートができてからである。

山村の通学路

小学2年生まで通っていた村の木造校舎は、うちから200mしか離れていなかった。道路も平坦だったから子供の足でも家から5分程度で小学校に到着できた。

しかし、村内の学校が統合されて新校舎に移転してからは通学時間が長くなった。距離は3倍以上だし、高台に移転したため上り坂を歩かねばならず、初めのうちは朝の通学時間が20分以上かかった。

当時は集団登校などなく、わが集落の子供たちはバラバラに歩いて通学していた。

一方、分校に通っていた子供たちは統合によって学校が遠くなったためバス通学になった。毎日バスに乗れるなんて毎日がバス遠足みたいだ。バス通学グループのなかには気になる女の子もいたものだから、バス通学の児童たちを僕はうらやましく思った。

でも新しい通学路にはすぐに慣れた。正式な通学路は新校舎とともに造られた新しい道路になっていたが、そちらを通らずにショートカットできる山道があって、わが集落の子供たちはみんなその山道を歩いていた。うっそうとした森に囲まれたつづら折りの細い山道である。最初はきつく感じたけど、次第にその山道を歩くのが楽しくなった。

舗装された道路よりも土の道を歩いたほうが足は楽だし、山道を登りきって森を抜けると視界が開けて広いグラウンドと新校舎がある。山頂に着いたときのような達成感がそこにあった。

やがてそのつづら折りの山道を直線的に登る急勾配のルートも開拓され、健脚の子供たちは直登ルートを一気に駆け上がって、通学時間の短縮を図った。

冬になると通学路は雪が積もって滑りやすくなったが、僕らは転ぶことなく元気に山道を歩いて学校に通った。学校からの帰り道はランドセルをソリがわりにして通学路を滑る楽しみもあった。バスで通学するよりも、自分のペースで山道を自由に歩けるほうが恵まれているんじゃないかと、いつしか思うようになった。

歩くことを苦にしない環境だったから、小学校の遠足もその言葉どおり、遠くまで自分たちの足で歩いて出かけた。学年によって遠足の距離は異なっていて、最上級生の6年生は隣の岐阜県との境に位置する峠まで歩いた。その距離は片道10㎞に及ぶ。帰りもバスに頼らずに歩いて学校に帰ったから、小学生なのに20㎞近く歩いていたことになる。

大人になった僕は日本の山や世界各地のトレイルを歩く作家になるわけだが、学生時代に登山経験がまったくないのに、初めて登山道を歩いたときも軽快な足どりで歩けたし、歩き疲れることもなかった。

それは小学校の通学路や遠足で山歩きの楽しさと、歩くノウハウを自然に体得していたからかもしれない。村の通学路が、国内外のトレイルを歩いて旅する僕の原点だったのだ。

新しいプールと川の学校

村の学校にはプールがなく、夏になると村の子供たちは川で泳いだ。

村を流れる川の上流に深さ１ｍくらいの淵があり、そこが子供たちの遊泳場になっていた。

標高１０００ｍを超える村の川だから水温は低い。川に入って５分も経たないうちに体が冷えて震えだす。唇が紫色になる子も多く、僕らは太陽で温まった岩にへばりついて全身を温めた。

淵の幅も５ｍくらいしかなく、常に流れているから、まともに泳げる環境ではなかった。でも流れる水は澄みきって、美しかった。淵を泳ぐイワナが見えたし、カジカもたくさんいた。

村の子供たちは水泳ではなく、清き川で水遊びをして短い夏を過ごした。

小学３年生になって学校が統合されて、新校舎が完成したが、プールは建設されなかった。

寒村の夏は短い。短い夏の間しか使えないプールなんか無駄だ。プールよりもスケートリンクを建設したほうが村の気候には合っている。村のお偉いさんたちはそう考えていたようだ。

その意見にうちの母親は先頭に立って異を唱えた。

「村を出た子供たちは高校に入ってつらい思いをしてるんですよ」

プールがなくて、川の水遊びしかしなかったから、村の子供たちはろくに泳げなかった。中学を卒業して松本市内の高校に進学した子供たちは、初めて体育の授業で水泳を体験することになる。他の生徒たちは泳げるのに、自分だけが泳げない屈辱を味わう。そんな肩身が狭い思いをさせてはならない。水泳の授業を受けられる環境を村に構築すべきだ。

母の意見はしごくまっとうである。先生や保護者の賛同を得られ、新校舎から遅れて3年後に待望のプールが完成した。

初めてのプールの授業は新鮮だった。

普通の小学校なら低学年と高学年は水泳のレベルに差があるはずなのに、みんな泳げないから全校児童が横並びの状態で水泳の指導を受ける。むしろ高学年の児童のほうが水を怖がって、体を浮かせられない子が続出した。

でも少年少女は飲み込みが早い。たちまちプールに慣れた。

川と違って水温が高いプールは長時間水に浸かっていられる。短い夏休みの間は毎日プールに子供たちの歓声が響きわたった。

僕も25m以上泳げるようになって水泳が大好きになったが、塩素の臭いに慣れるまでは少し時間がかかった。プールに入る前は塩素が濃い消毒槽に腰まで浸からなくてはならない。それも好きじゃなかった。

消毒の必要がないくらい澄みきった川に潜《もぐ》って遊んだり、水泳ができたりしたことは貴重な体験だった。

あれは川の学校だったんだと、いまは思う。

旅館から先生の下宿屋へ

わが家は村の中心で旅館と酒屋を営んでいたが、僕が小学校に入って数年後に旅館の営業をやめ、そのあと酒屋も廃業した。

父は家の仕事を一切手伝わなかったから、母は苦労してたんだと思う。

詳しい事情はわからないが、それまで忙しく働いていた母に余裕が生まれ、一緒に過ごせる時間が長くなったことが僕たち3人の兄弟はうれしかった。

一般客を泊める旅館ではなくなったけど、宿泊業を完全にやめたわけではなかった。村の小中学校に赴任してきた先生方の宿舎として、わが家は存続した。

旅館をしていたときも先生はわが家に下宿していたはずだが、その頃は自分が幼かったのでどんな先生が泊まっていたかあまり記憶にない。鮮明に覚えているのは、新校舎が完成して村の学校が統合されてからだ。

それまでは村の先生は年配のベテランばかりだったが、新しい学校になったら若い先生が一気に増えた。

下宿先は村内に何ヶ所かあり、わが家は3人の若い先生が2階に住み着いた。兄も僕も自分の勉強部屋を持つ年頃だったため、若い先生たちの入居と同時に僕らも2階の部屋をそれぞれあてがわれた。

よそから来た若い先生たちの食住の世話をすることになって、母もやりがいを感じたと思う。身内びいきもあるけれど、母は料理の手際がよくておいしかったし、話好きで社交的だったから若い先生たちに慕われた。村には飲み屋や喫茶店などのような、先生たちが集える場がなかったから、他の家に下宿していた先生たちもわが家にしょっちゅう遊びにきた。広い家と母のおかげで、わが家は先生が来やすい環境だったんだと思う。

先生とひとつ屋根の下で暮らし、食事どきは一緒に食卓を囲み、学校でも顔を合わせる生活。わが息子に当時の話をしたら「24時間先生と一緒だなんて、いやだなあ」と顔をしかめたが、僕らはまったく抵抗がなかった。それが日常だったし、母も先生も家にいるときは学校の話をほとんどしなかった。先生ではなく、村にやってきた若くて魅力的な同居人として僕らは接していた気がする。

僕の担任の先生は別の下宿先で暮らしていたが、兄の担任はうちで暮らしていた。

家庭訪問のときは、いつも顔を合わせている3人(先生、母、兄)が顔を合わせることになる。「何をいまさら」と第三者は思うだろうが、実際はそんな空気感ではなく、成績や学校での生活態度を先生は普通に語ったそうだ。

母も先生も、仕事とプライベートをきちんと分けられる大人だったのである。

S木先生のオートバイ

うちに下宿していた先生たちは魅力的な人物ばかりだったが、なかでも新卒でやってきたS木先生は別格だった。

僕の人生に多大なる影響を与えた人物といっても過言ではない。

S木先生は僕らの村にオートバイでやってきた。小学校の教諭だったけど体育の先生でもあったから体が引き締まっていたし、イケメンだったからオートバイがよく似合っていた。

うちに下宿している間にオートバイを何台か乗り換えている。最初は350ccのオートバイだった。だんだんと排気量が大きくなって750ccにまでステップアップしたが、僕が印象に残っているのは、マフラーが4本突き出たホンダのCB500だ。なんてかっこいい乗り物なんだと思ったし、その大型マシンを乗りこなすS木先生が正義のヒーローに思えた。

S木先生はときどき学校が終わってからふらりとオートバイで出かける。村のダムの下流に風光明媚なドライブインがあり、S木先生はそこまでオートバイを走らせ、コーヒーを一杯飲んで帰ってくるのだ。

休日はオートバイでロングツーリングにも出かける。日曜日の夜に「新潟までノンストップで往復してきた」などとさらりと語るS木先生に、狭い山村で生まれ育った僕はしびれた。高速道路はなく、幹線国道も未舗装の区間がある時代である。そんな道路をS木先生はオートバイで走り回っていたのだ。僕は新潟までの距離を理解していなかったが、村から松本まで行く距離の何倍も遠いことを地図で見て知って、S木先生のオートバイに感動した。遠い世界へどこまでも出かけられるスーパーマシンに思えた。

やがて成人になった僕は中古のオートバイを買い、キャンプ用具を積み込んで全国各地を放浪して巡り、オーストラリア大陸まで足を延ばすオートバイの旅人になる。80年代はオートバイブームだったこともあるけど、そこまでオートバイの旅にのめり込んだのは、S木先生への憧れがあったことは間違いない。

S木先生の影響はまだある。

僕は大学卒業の年にゴムボートで中国の揚子江を下る旅に出ている。自分が何をすべきかわからず、将来に不安を感じている青き春の時代だった。たまたまアルバイト先の先輩からゴムボートをもらったため、それがきっかけで揚子江をゴムボートで下ろうと思い立ったのだが、そんなふうに思い立った根底にはS木先生の存在がある。S木先生は信州大学在学中にゴムボートで信濃川を河口まで下っているのだ。

川旅の話を聞いた小学生の僕は心が躍り、脳裏に焼きついた。大人になったらS木先生みたいにオートバイに乗ったり、ゴムボートで川を下ったりする冒険者になりたい。

その思いがいまの僕へつながっているのだ。

S木先生が村を離れる日

体育の先生でもあったS木先生は運動神経が抜群によかった。体育館でバク転を披露し、興味を持った子には体操の指導をしてくれた。

S木先生はそれまでスキーと縁のない環境で暮らしていたからスキーの経験はなかったが、村に来てスキーに夢中になった。

週末になると村外のスキー場に出かけて朝から夕方まで滑りまくる。オートバイに乗っていたS木先生だが、スキー場に出かけるアシとしてクルマも持つようになった。

S木先生の最初のクルマはホンダの白いライフだった。

新車で買ったのにS木先生はライフの後部ボディーの左右にペンキで「みぎ」「ひだり」、側面の前後には「まえ」「うしろ」と書いた。

きっちりとデザインされた文字ではない。曇った窓ガラスに子供が指で「ばーか」と書くような拙《つたな》い文字だ。そんなちゃめっ気のある少年のようなS木先生を村の子供たちはみんな大好きだったし、S木先生は親からも愛されていた。

S木先生は僕のひとつ下の学年を受け持っていた。彼らが3年生になったときに赴任してきて、卒業するまで受け持った。そして他の学年の担任になることなく、村を離れることになった。だからS木先生のクラスが卒業するときの離任式は涙まみれのお別れとなった。

卒業式では誰も泣いたりしなかったが（小中学校だったから、卒業しても同じ学校に同じメンバーが通うのだから泣く意味がない）、卒業式のあとの離任式は、体育館に入ったときから約30名の卒業生たちは涙をぬぐっていた。

そして離任する先生たちが壇上に登ると、子供たちは全員が声を出して泣きじゃくった。

村を離れる先生はひとりずつあいさつをする。S木先生の順番になると、体育館に嗚咽《おえつ》の声が響きわたった。

子供たちは顔を上げられず、S木先生も首を垂れたまま肩を震わせていた。その時間が数分間続いたと思う。ようやく口を開いたS木先生から出た言葉は4年間の思い出でもなく、別離《わかれ》の言葉でもなかった。か細い声で「スキーのパラレルターンをマスターするには……」と、鼻をすすりながらスキーの話を語り出した。スキーの話をしてはぐらかすことで、S木先生はつらい別れをこらえていたのである。

S木先生の言葉で子供たちの嗚咽は一段と激しくなり、僕の涙も止まらなくなり、S木先生の言葉を聞き取ることができなくなった。子供たちはS木先生に学んだ4年間で大きく成長したし、初めて先生になって過ごした村の4年間はS木先生の宝物になったに違いない。

自分の担任でなかったけど、S木先生と同じ屋根の下で暮らせたことが僕の勲章でもある。

あきらくんの脱走

同級生のあきらくんは自然児だった。

父親が林業に携わっていて、幼い頃から野山を駆け巡って遊んでいた子供だった。ワラビ採り遠足では学年トップの収穫量を誇っていたし、カブトムシやクワガタムシを捕まえることに関してもあきらくんにかなう子供はいなかった。

自然の知識も豊富で、道端でヘビに出くわしても「アオダイショウだから平気だよ」と手に持って放り投げちゃうし、ハチに遭遇しても「大丈夫。クマンバチだから刺したりしないよ」と的確に助言してくれる。学校の成績はそれほどよくなかったけど、そんなあきらくんを僕は尊敬していた。学校の授業で学ぶ知識よりも大切なものがあることを、あきらくんは教えてくれた。

あきらくんは脱走癖があった。学校の休み時間にふらりと校外に出ていき、野山で遊んでから何食わぬ顔で戻ってくる。若き担任のU先生はおおらかな人で、脱走するあきらくんをとがめたりはしなかった。しかし、あきらくんとともに数人のクラスメートも脱走したときはU先生も動いた。

「みんなであきらくんたちを捕まえにいこう」と、次の授業をとりやめてクラス全員であきらくん一派の捜索活動に乗り出したのである。

それはとても楽しい時間だった。高台にできた新校舎の周囲は民家もなく、畑や野山が広がる。そんな自然豊かな野道を、みんなで手分けしてあっち行き、こっち行きして歩きまわる。クラス一丸となって鬼ごっことかくれんぼをしているようなものだ。U先生はあきらくんと鬼ごっこをさせることで、自分たちの村はこんなに豊かな自然に恵まれているんだよ、と教えようとしたのかもしれない。

最後はあきらくん一派をはさみ撃ちにして捕まえることができたが、捕まったあきらくんたちをU先生は叱ったりしなかったし、あきらくんが反省することもなかった。

悠然としたあきらくんが、僕にはとても強い少年に思えた。学校の帰り道に僕は何気なく聞いたことがある。

「あきらくんは泣いたことあるの？」

僕の問いかけにあきらくんは微笑んで答えた。

「あるよ。かあちゃんが死んだとき。ひとりで神社に行ってわんわん泣いた」

その答えに僕は返す言葉がなかった。

母親の葬儀では涙を見せず、神社で人目を忍んで泣く小学生の姿を思い浮かべると、いまでも胸が締めつけられる。

思えば、あきらくんの脱走がはじまったのは母親を亡くしてからだった。それがゆるされたのもU先生なりの愛情だったんだと思う。

少年期の戦争の痕跡

グアム島から帰還した横井庄一さんと、ルバング島から帰還した小野田寛郎《ひろお》さんのニュースは子供心にも衝撃的だった。

戦争が遠い昔の話でないことを、横井さんと小野田さんは平和があたりまえになった日本に伝えたと思う。

思えば、僕が子供の頃は戦争の痕跡がまだ残っていた。

たとえば、軍歌だ。どこでどう覚えたのか見当がつかないが、僕に限らず当時の子供たちは軍歌を童謡のように歌うことができた。

♪勝ってくるぞと勇ましく誓って故郷《くに》を出たからは♪とか、♪きさまと俺とは同期の桜♪など、『信濃の国』や『若い力』と同じく、意味を理解する前に歌詞は頭に焼きついた。

でも僕は声に出して歌ったりはしなかった。

母は幼くして父(つまり僕の祖父)を戦争で亡くしているので、禁じられたわけではないけれど「みごと散りましょ　国のため」などという歌詞を軽々しく口にすることは子供心にもためらいを覚えた。

あれはなんの祭りだったのだろうか。

浴衣《ゆかた》姿の女性が記憶にあるから夏祭りだったと思う。松本市内の父の実家に親戚が集まり、僕ら兄弟と年下のいとこは叔母さんや叔父さんからお小遣いをもらって市内の目抜き通りに屋台が並ぶ祭りに出かけた。

もらったお小遣いで何を買おうか、とワクワクしながら歩いていたら、通りの一角に異様なふたり組がいて、僕は足が止まった。

ふたりとも父より年上の男性で、白い服を着て軍帽をかぶっている。ひとりはアコーディオンで哀しいメロディーを奏で、もうひとりは地べたに正座して精悍《せいかん》な目つきでじっと前を向いていた。正座したその男性は片腕と片脚がなかった。

傷痍《しょうい》軍人という言葉は知らなかったが、小学生の僕でもこのふたりがどういう人で、ここで何をしているのかは理解できた。

でも僕は何もできなかった。ふたりの姿が怖かったし、警戒心もあった。お小遣いは大人から子供に授けるものであり、子供が大人にお小遣いを施すのはおかしいとも思った。

しかし、いとこは違った。彼はもらったお小遣いを全額、正座した男性の前に置かれた箱に入れたのである。屋台で何も買わず、全額を差し出したいとこに僕は感服した。自分がケチな人間に思えてしまった。

実家に帰って顚末《てんまつ》を知った叔母は「もう、この子はばかなんだから……」とあきれた。でも叔母の言葉には馬鹿やバカとは異なる、愛情が込められていた気がする。

夏休み初日の落雷

わが小学校は夏休みが2週間ちょっとしかなかった。

そのぶん冬休みが長かったり、6月の田植え休みや11月の稲刈り休み、2月の寒中休みなどがあったりしたが、とにかく寒村の小学校は夏休みが短かった。8月1日にはじまり、お盆休みが過ぎたら終わる。それが全国共通の夏休みだと、村の子供たちは思い込んでいた。

あれは小学校に入って初めての夏休み初日だった。

父の運転するクルマに乗って、母、兄、弟、僕の5人家族は乗鞍岳に出かけた。

「夏休みなんだから子供たちとどこかへ出かけたい。近くに住んでるのにまだ行ったことがない上高地か、乗鞍岳に行ってみたい」と母が父に頼んで実現したドライブだったと思う。マイカー規制以前の話で、上高地も乗鞍岳も自家用車で出かけることができたのだ。

天気はよかったし、父も機嫌がよく、乗鞍岳までの道中は楽しいドライブとなった。曲がりくねった道がどこまでも続き、僕たち兄弟はカーブのたびに体が右へ左へと傾く動きを楽しんだ。村ではマイカーのない家庭も多く、バス遠足などでは乗り物酔いする同級生が少なからずいたが、幼い頃からクルマに親しんでいたうちの3人兄弟は乗り物に強かったのだ。

曲がりくねった道のドライブを楽しんで最高所の畳平《たたみだいら》に到着した僕はクルマから降りて驚い

た。夏休みの8月1日なのに寒い。すぐ近くには残雪もある。標高２７００ｍの世界を肌で感じた。

お昼は駐車した畳平の近くにシートを広げ、母が作ったお弁当を食べた。

絶景に囲まれた最高のランチタイムを過ごしたあと、母が言った。

乗鞍岳山頂はすぐそこだ。山頂は無理でも周囲を歩きたい。そう提案したが、父は応じなかった。父は寄り道や道草を楽しむタイプの人間ではなかった。

「ここまで連れてきてやったんだからもういいだろう」と歩くのを面倒くさがり、母をがっかりさせた。

しかし、結果的に父の判断は正しかった。

ランチのあと、雲行きが急に怪しくなり、暗雲が立ち込めて、激しい雷雨となったのだ。

僕らは車内に逃げ込んだが、それはこれまでに経験したことがない雨だった。雷の音にも驚いたし、稲妻が光ってから雷鳴が轟《とどろ》くまでの時間の短さに恐怖を覚えた。

「大丈夫。クルマのなかは安全だから」と母は言い、僕らは雷が遠ざかるのをおびえながら待った。

山は別世界であり、自然は時として牙をむくことを夏休み初日に体感した。

帰宅した僕らは、この雷がとんでもない事故を招いたことを知った。乗鞍岳から遠くない西穂高岳に雷が落ち、集団登山をしていた松本深志高校の生徒たちが何人も命を落としたのだ。

トラウマにはならなかったが、山の雷は死ぬほど恐ろしいと少年の心に強く焼きついた。

背番号3のホームラン

野球に興味のある村の少年は、誰もが巨人ファンだった。

地方にありがちな話だけど、テレビは巨人戦しか放送しないから巨人以外の選手は名前も顔もわからない。小学生の僕は野球に興味がなかったから巨人の選手もろくに知らなかったが、2歳年上の兄は野球が好きで熱烈な巨人ファンだった。

そんな兄のために、名古屋に嫁いだ叔母が巨人戦のチケットを手配してくれて、父の運転するクルマでナゴヤ球場へプロ野球観戦に出かけた。

高速道路が開通していない時代である。信州の山奥から名古屋まで、下道の運転はきつかったはずだが、それでも僕らを連れていってくれたのは、父も巨人の試合を球場で観戦したかったからだと思う。

ナゴヤ球場に着いた僕は、大勢の客と熱気に圧倒された。

村の人口の何倍もの人々がひとつの球場に集まっている。ナイターの照明に浮かぶグラウンドもユニホーム姿の選手も華やかで美しかった。テレビで目にしてきた世界に自分が入り込んだ感動を覚えた。

野球にうとい僕でも、背番号1と背番号3の選手はわかる。そのふたりの姿だけを目で追っていたら、サードの守備についた背番号3がゴロをトンネルしてしまった。

それに対して周囲の観客たちは「いいぞ!」と拍手をしたり、「ヘタクソ!」などと容赦ないヤジを飛ばしたりする。その光景を見て僕は反骨心が芽生えた。

人の失敗をけなすなんておかしい、と無垢な田舎の少年は思ったのかもしれない。だから背番号3に打順が回ってきたとき、僕は勇気を出して大きな声援を送った。

「ナガシマーッ!　ガンバレーッ!」

その瞬間、周囲の大人たちの視線を感じた。でもかまわず僕は声援を送り続けた。隣の父と兄は気まずかったはずだが、父と兄は背番号3を応援する僕をやめさせようとはしなかった。

すると、背番号3はみごとにホームランをかっ飛ばした。カキーンという音とともに小さな白球が夜空に弧を描くホームランは、野球を詳しく知らない少年でも感動した。

喜ぶ僕に隣のおじさんが「よかったな。君が応援したからホームランを打てたんだぞ」と声をかけてくれた。優しいおじさんだったんだな、といまは思う。

察しのとおり、僕らが座っていた席は、名古屋に嫁いで熱狂的な中日ファンになった叔母が手配したチケットだったから中日の応援席だったのである。

昭和のスーパースター、長嶋茂雄のエラーとホームランを目撃できたことは貴重だったし、中日ファンに褒めてもらえたことも忘れがたき思い出である。

兄と僕のキャッチボール

巨人ファンで野球が好きな2歳年上の兄は体が大きくて運動神経もよかったから、投げる球が速かった。

父の会社で働く社員が兄の投球を見て「小学生の投げる球とは思えない」と口にしたことを覚えている。社長の息子に対するリップサービスもあっただろうが、もしも村に少年野球のチームがあったら兄はエースとして活躍したと思う。

僕はたびたび兄のキャッチボールの相手をさせられた。兄は巨人の堀内投手になりきり、腕を大きく振りかぶって全力投球をする。野球を教えてくれる指導者が村にはいなかったから投球は我流だ。球は速いけど、コントロールが安定しない。手前で球がワンバウンドする暴投がしょっちゅう起こる。

腰を下ろした状態で球を受けるキャッチャーの僕は怖くてたまらなかった。泣きそうになって逃げ出すこともたびたびあった。僕がいなくなったらピッチングができなくなるから兄は説得にかかる。僕も逃げ出してしまう自分がいやだから、勇気を振りしぼってキャッチャーを引き受けるんだけど、ノーコンのピッチャーの速球はやっぱり怖いから再び逃げ出してしまう。

そんなことを繰り返していたある日、兄が提案した。

「グローブで受けなくていいから、このケースで受けてみろ」

兄が用意したのはビールのケースである（うちは酒屋だったからビールや酒のケースがたくさんあった）。それを両手で持って盾にして球を受け止めろというのだ。

この作戦は功を奏した。グローブと違って手が痛くなるはずがないし、面積が広いケースなら兄の速球も当てることができる。当てたあとに弾んだ球を拾って投げ返すのは面倒だったけど、グローブで受ける恐怖に比べたらどうってことなかった。ビールのケースで兄の速球から身を守る安心の日々が続いた。

ところがある日、そのスタイルは終わりを迎えた。

父の会社で働いていた叔父がサプライズでキャッチャーミットを買ってくれたのである。

叔父はビールのケースでキャッチボールをする兄弟を不憫《ふびん》に思ったのだろうが、僕からしたらありがた迷惑である。あまり喜ばない僕を妙に思ったかもしれないけど、僕らが幼い頃からダンプカーに乗せてくれた心優しき叔父に本心を口に出せるわけがない。

でも叔父からもらったキャッチャーミットはすばらしかった。

分厚いから球を受けても手が痛くない。手が痛くないから、恐怖心もあまり感じなくなった。ビールのケースを使ったキャッチボールで目が慣れたこともあって、兄の速球を受け止められるようになり、野球にも興味が湧く少年へ成長できた。

山村にも届いた『学習』と『科学』

集落に2軒しか店がない村だったから、本屋なんてあろうはずがない。そんな環境でも毎月手に入る月刊誌があった。

学研が発行していた学年誌『○年の学習』と『○年の科学』である。

月に一度、学校に『学習』も『科学』が届き、注文していた子供たちに配られる。僕は『学習』も『科学』も注文していて、学校に届く日を心待ちにしていたが、いま思えばクラスには1冊しか注文していなかった子もいたし、どちらも注文できない子もいた。

当時はその子たちの胸のうちを想像できなかったし、思いやる気持ちもなかった。そもそも学校で配布するシステムそのものに配慮がなかったように思う。あの頃はそういう時代だったということなのだろう。

届いた日は下校の時間が待ち遠しくて、学校が終わると一目散に家に帰り、『科学』の付録にとりかかる。電池のモーターを使った扇風機や望遠鏡、投影機など、学ぶための付録とはいえ、プラモデルとなんら変わらない。S藤商店でしかプラモデルを買えなかった僕にとっては、『科学』という名を冠したおもちゃだ。僕に限らず当時の子供たちを夢中にさせたはずだが、僕が特に印象に残っている付録は簡易カメラのセットだ。

シャッターなどなく、本体のキャップをはずしてレンズに被写体を何秒間か写り込ませて、キャップを閉じる。そして本体にセットしておいた印画紙を暗闇で現像液に浸す。

自分の家を撮影してみたが、印画紙にモノクロで家の姿が浮かんだときは感動した。S木先生にその写真を見せたら「マサキくんは写真が上手だねえ。カメラマンになれるよ」と褒めてもらえて、胸がキュンとなるくらいにうれしかった。

『科学』には作品例として人物写真も掲載されていたので、それを真似て母親を撮影してみたが、家と違って母は動いてしまうからぼやけた心霊写真のように仕上がり、貴重な印画紙を無駄にして悔やんだ覚えがある。

『科学』の付録で遊んだあとは、『学習』や『科学』の本を読む。勉強になる内容だったと思うが、あまり頭に入らなかった。

でも、たまに夢中で読ませる記事や山村の少年をうらやましがらせる企画もあった。たとえば、夏休みの前に特集されていた磯遊びの企画などだ。イラストで磯の詳細が紹介されていて、魚以外にもイソギンチャクやヤドカリ、カニなどが描かれていた。海にはこんなにたくさんの種類の生物がいるのか、と山村で暮らしていた僕はうらやましく思った。

付録にしても、内容にしても、『学習』と『科学』は山村の少年に未知の世界への憧れと夢を抱かせてくれた。

学年誌のペーパークラフト

小学生時代は学研の『学習』と『科学』以外に、小学館の学年誌もたまに購読していた。学校に毎月届く『学習』と『科学』と違い、学年誌は本屋がない村では買えず、松本に出かけたときに買ってもらえる特別な月刊誌だった。

学年誌は娯楽性が高かった。

『オバケのQ太郎』や『パーマン』などのマンガもあれば、『ウルトラマン』などのウルトラシリーズも写真で掲載されていた。ゲームやなぞなぞのコーナーもあって、ワクワクしながらページをめくった。それに付録がとても充実していた。

輪ゴムで留められた学年誌の中央には付録がぎっしり詰まっていて、ぷっくりふくらんでいる。それをワクワクしながら開けた。

怪獣かるたやすごろくもあったが、メインの付録は型紙を切って組み立てる工作、いまでいうペーパークラフトだ。

型紙を切り取り線に沿ってカットし、「山おり」や「谷おり」と書かれた指示どおりに型紙を折り、「つめ」と書かれた突起部を切り込みに差し込んで固定する。たいていは糊を使って接着するように指示されているが、当時の糊はいまほど粘着度が高くなく、ベタベタになってきれいに組み立てられなかった。出来は悪かったけど、それでも完成したときの喜びは大きかった。

アポロ11号のロケットや大阪万博の展示会場のペーパークラフトもあったはずだが、記憶に残っているのは幻灯機だ。

組み立てた箱のなかに懐中電灯を入れて、マンガや絵が描かれたカラーのフィルムを暗い部屋で壁に映し出す。それだけのことなんだけど、壁にぼんやりとカラーの画面が浮かんだときは興奮した。映画の仕組みを僕は紙の幻灯機で学んだのである。

幻灯機以外では輪ゴムや丸ピンを使って動くクルマなどのペーパークラフトも思い出深い。紙でできているから耐久性が劣り、何回か遊ぶと壊れてしまう。

完成品で遊ぶことよりも、モノづくりの過程のおもしろさを学年誌の付録は教えてくれた気がする。

時は流れ、紀行作家になった僕は、小学館が発行するアウトドア雑誌『ビーパル』で旅の連載を30年以上続けている。学年誌からも声がかかって執筆したこともあるが、依頼の電話を受けたときは吹き出しそうになった。

電話をかけてきた編集者は「『小学四年生』のカトウです」と名乗ったのである。

彼は普通に自分の所属部署を名乗っただけだが、電話を受けた僕は言いたかった。

そんな大人びた声の小学4年生はいないぞ、と。

10月10日の村民運動会

ハッピーマンデー制度で10月の第2月曜日になってしまったけど、体育の日といえば10月10日。そのイメージが山村の少年だった僕には強く残っている。

10月10日は体育の日であり、村民運動会の日でもあった。

当日は朝早くから各集落の村民がお弁当やゴザを持って小中学校の校庭に集結する。学校の運動会よりも規模が大きかったし、村のお祭りよりもにぎやかだった。

10月10日は晴れの特異日だそうだが、確かに雨に降られたことは一度もなく、いつでも華やいでいた。村の最大のイベントだったと僕は思っている。

村の子供たちは村民運動会を心待ちにしていた。村民運動会には露店が並ぶからだ。お祭りよりも露店の数は多く、おもちゃを売る露店も並んだ。村には商店が2軒しかなく、おもちゃが手に入りにくかったから、村民運動会でおもちゃを自由に買えることがうれしかったし、村民運動会に集まる同級生たちと買ったおもちゃで遊べることも楽しかった。

でも村の大人たちにとって村民運動会は集落対抗の競技会だった。

村内の小さな集落の住民はそうでもなかったが、役場や学校があって村の中心的位置づけのわが集落と、かつて分校があった南部の中心的集落はお互いに対抗心が強く、勝敗にこだわっていた。「〇〇渡には絶対負けるな」と集落の大人はあからさまに口にした（どちらの集落も『渡』という字が尾についていた）。

綱引きや長距離走、年齢別リレーなどは特にその傾向が強く、南部の集落に自分たちの集落が勝つと大いに盛り上がり、負けると本気でくやしがった。

綱引きはわが集落が強いのだが、個人競技である長距離走は南部の集落の床屋さんが強く、毎年床屋さんが優勝を続けていた。

わが集落のエースは村民運動会の数週間前から走り込みをして大会本番に備えるのだが、床屋さんにはかなわず、毎年2位に終わる。おそらく床屋さんも村民運動会の前に走り込みをしていたのだろう。床屋さんが先頭で校庭に帰ってくるたびに、わが応援席からはため息が漏れた。

小学生から中学生、大人というように年代順にバトンをつなぐリレーは力が拮抗《きっこう》していた。僕も選手に選ばれたことがあるが、たいして足が速くなかったので、学校の運動会よりもプレッシャーを感じた。バトンを受けた僕は順位を上げることができなかったが、追い抜かれることもなかった。くやしさよりも順位を落とさなかったことに安堵した覚えがある。

運動会で対抗心を燃やすなんて、閉鎖的な山村ならではだな、と恥ずかしくも思う。でもその大人げなさが、いまは懐かしくもあり、微笑ましくもある。

山村のスキーは直滑降

初めてスキーを経験したのは小学校に上がる前だ。家の裏にちょっとした坂があり、冬になって雪が積もるとその坂は集落の子供たちにとっての小さなゲレンデになった。

当時の感覚ではスリリングな急坂だったが、いま見直せばなんてことないゆるやかで短い坂なのかもしれない。

子供たちはその坂をスキーでまっすぐに滑って下るのだが、転ばずに滑りきるのはむずかしかった。当時のスキー板は革のバンドで長靴を締めるタイプで、足をしっかり固定できなかったし、かかとが浮くものだからバランスがとりづらかった。スキー板の滑走面にも雪が付着しやすく、前のめりの転倒がしょっちゅう起きた。

小学校に上がってからは専用のスキー靴を使うモデルに進化した。スキー靴のかかとの溝にワイヤをかけて、そのワイヤを前方のバックルで引っ張って固定するタイプのスキーである。スキー靴のかかとがスキー板に固定されたことで、僕らの滑走技術は格段に向上した。

通っていた村の小学校では冬になると学校の裏にあるゆるやかな傾斜地でスキーの授業が行なわれた。シーズンに一度は村内のスキー場に出かける行事もあった。スキー場と名がついていたものの、リフトなどなく、休憩できる木造の建物があるだけの簡素なゲレンデである。

スキーを装着した全児童が最初にする運動は、全員が横並びになって斜面を登るカニ歩きだ。圧雪車なんてあるわけないから、スキーが滑りやすいようにゲレンデの深雪を踏み固めて上部へ登っていくのだ。

僕は家の裏にある坂でのスキーと同じく、まっすぐ滑ることにこだわった。

当時、冒険家の三浦雄一郎氏がスキーで富士山直滑降やエベレスト直滑降に挑戦していて、それがたまにテレビで放送された。詳しい内容は小学生には理解できなかったが、その姿に感化された。ストックを両脇に抱え、膝を曲げて腰を下ろした三浦氏の直滑降がとてもかっこよく見えた。止まるためにパラシュートを開くスタイルにもしびれた。スキーでターンをするのは直滑降が怖い弱虫がするものだと、小学生の僕は思い込んでいた。

ゲレンデの最上部まで登ったら、勇気を出して三浦氏のように滑り出す。滑り出しはいいけど、加速がついてスピードが出ると怖くなって腰が引け、最後は派手に転ぶ。固く圧雪されてないフカフカの雪だったから転んでも痛くなかったが、当時のウエアは防水性がなかったから何度も転んでいると溶けた雪で下着まで濡れてしまう。

山村の冬は気温が低かったから、下着まで濡れた僕は寒かったはずだが、体が震えた記憶がないのは、それだけ直滑降に夢中だったのかもしれない。

大阪万博で見たもの

大阪万博が開催された1970年。僕は小学4年生だった。植村直己のエベレスト日本人初登頂も、三浦雄一郎のエベレスト直滑降も同じ年だったが、日本は大阪万博一色で沸き返っていた。

学研の『4年の学習』も小学館の『小学四年生』も万博の詳細ガイドなどを掲載して盛り上がっていたが、信州の山村で暮らす少年たちにとっては、遠い世界の話だ。大阪まで万博を見にいくなんて現実的ではなかった。

でも僕と兄は、父の会社で働く叔父にクルマで連れていってもらえることになった。のちに叔母となる女性も同行した。当時は婚約中だったと思うが、大阪万博へ行けることに加え、若くてきれいな女性も一緒だったから僕は胸をときめかせて大阪へ向かった。中央自動車道がなかった時代だから、大阪までとても長いドライブだった記憶がある。

叔父は大阪の大学出だったから土地勘があった。名神高速道路を軽快に走り、会場にすんなり到着した叔父が頼もしく思えた。

会場に入って太陽の塔の大きさと迫力に圧倒されたが、それよりも会場の熱気に飲まれた。夏休みだったこともあり、混雑ぶりが半端でなかった。村民運動会に集う村民の何百倍もの群衆である。こんなにたくさんの人々を目にしたことがなかったから目が回りそうになったし、涼しい山村から来たので大阪の暑さにも参った。

月の石を展示したアメリカ館に入るつもりでいたが、3時間以上待たねばならないことがわかって断念。アメリカ館よりも入場者数が少ないソ連館を選んだが、それでも行列は長かった。館内に入れた達成感はあったが、ソ連館に何があって何を見たのかは記憶にない。

企業パビリオンでは人間洗濯機やテレビ電話など、近未来的な興味深い展示があることを『小学四年生』で知って楽しみにしていたが、ソ連館で疲れきってしまい、混雑するパビリオンに入る気はうせていた。

そのかわりに並ばず入館できる外国のパビリオンをいくつか巡った。アジアの小国だったはずだが、どの国か記憶にないし、おもしろいとも思わなかった。

時は流れて大人になった僕はアジアを好んで旅して、紀行作家としてアジアの本も出版するようになる。その原点が大阪万博といえなくもない。

のちに知ったことだが、ネパール館では植村直己が持ち帰った、世界で一番高い場所の石も展示したらしい。いまの僕が50年前にタイムスリップしたら、行列ができる月の石よりもそっちの石に並ぶ。

そして「普通の石じゃん」と苦笑するだろうな。

少年の自転車

初めて自転車を買ってもらったのは、小学4年生のときだった。

村には自転車屋がなかったから、集落の旧校舎に開設された即売会で父に買ってもらった。

いまでもＪＡが農業機械や軽トラの展示即売会を主催したりするが、それと同じように業者が数台の自転車を運び入れて村民を対象に臨時の即売会を開いたのだ。

即売会の前日は興奮で眠れないほどだった。即売会のチラシに掲載された自転車を何度も眺めては、胸をときめかせた。

当時の少年はジュニアスポーツ車に夢中だった。光が流れて点灯するウインカーや2灯式ヘッドライトが装備された装飾系の自転車である。スーパーカーがブームになり、自転車メーカーはそのイメージに寄せたモデルをこぞって販売したのだ。

自転車が本来めざすべき方向は漕ぎやすさやスピード、乗り心地のはずなのに、ジュニアスポーツ車は少年の心をつかむ装備に重きを置いていた。子供だましの自転車だったから、子供の僕もまんまと引っかかってジュニアスポーツ車を父にねだった。

でも光が流れるウインカー装備の自転車にはあまり興味がなかった。通行人もいなくて交通量が少ない村で自転車のウインカーを点灯させても意味がないと冷静に判断したのだろう。ウインカーを点灯させると電池がなくなることも頭にあったはずだ。ウインカー装備のモデルではなく、ハンドルが微妙にカーブしたセミドロップタイプで、クルマのシフトノブをイメージした変速装置付きジュニアスポーツ車を父に買ってもらった。

うれしくて、うれしくて、僕は毎日自転車に乗った。旧校舎の校庭を日が暮れるまで何周も走り回った。遠くまで自転車を漕いでいこうとは考えず、平坦な校庭だけを走り回った。

校庭は僕にとってのサーキットだった。スーパーカーに乗るドライバーをイメージして、自慢の変速装置を細かく操作してギアを変え、自転車を走らせた。

それから十数年後に僕は日本縦断したり、サハラ砂漠やヒマラヤ山中を自転車で旅したりするようになるのだが、当時は自転車が遠くへ出かける旅の道具だとは考えもしなかった。少年のおもちゃに過ぎなかったから、その自転車にいつまで乗って、最後はどうなったのか、記憶にない。

話は飛んで、わが息子が小学6年生になったとき、僕は自転車をプレゼントした。長く乗れるようにと高価なクロスバイクを選んだ。

息子はそのクロスバイクを大事に乗り続けた。身長があまり伸びなかったこともあるけど、価値ある自転車は消耗品や部品を交換して手入れを続ければ末長く乗れる。その事実を証明するかのように息子はクロスバイクを乗り続けた。

小学校から中学校、高校、大学、そして社会人になるまで1台の自転車に乗り続けていることが息子のプチ自慢であり、父の誇りでもある。

初めての吉田拓郎

初めて買ったレコードは吉田拓郎の『元気です。』だった。

オリコンのアルバムチャートで14週も連続1位を獲得した名アルバムだ。シングルではなく、たくさんの曲が入ったアルバムを初めてのレコードとして買った。

そのアルバムの発売当時、僕は小学5年生だった。初めて買うレコードが歌謡曲やアイドルではなく、テレビに出ないフォークシンガーだなんて、ませた小学生に思われそうだが、それは2歳年上の兄の影響が大きい。

中学生になってラジオの深夜番組を聴きはじめた兄は、DJとしても人気が高かった吉田拓郎のファンになり、ヒット曲『結婚しようよ』などが収録されたアルバム『人間なんて』を買った。学校から帰ってくると兄は大音量で『人間なんて』をかけて歌う。いやでも耳に入ってくるから僕もそのアルバムに収録された楽曲をすべて覚えてしまい、自然のなりゆきで吉田拓郎のファンになった。吉田拓郎の声が頭から離れなくなった。

そしてニューアルバム『元気です。』の発売である。

兄はお年玉が貯まっていた僕をそそのかした。

「マサキも吉田拓郎のレコードが欲しいだろ。おにいちゃんが買ってきてあげるよ」

自分が聴きたかったのだろうけど、僕は松本へ出かける兄に託した。

当時、松本市の伊勢町にナカガワというレコード屋があった。ナカガワはレコードを収納するオレンジの袋がトレードマークで、LPレコードを10枚買うと1枚もらえるスタンプカードもあった。兄は松本に出かけてナカガワでレコードをあれこれ物色して買うことをとても楽しみにしていた中学生だった。

僕は兄が買ってきた人生初のマイレコード『元気です。』を何度も聴いた。

丁寧に扱ったつもりだが、プツン、プツンと音が出る傷がついてしまうほど『元気です。』を聴いた。いまでもすべての楽曲を歌えるし、曲の世界観にも感化された。

たとえばヒット曲『旅の宿』。アルバムバージョンは吉田拓郎がアコースティックギター1本で歌っており、高校生になってギターを弾きはじめた僕が最初にマスターした曲が『旅の宿』である。大人になって全国を旅するようになった僕は、曲のモデルとなった青森県の蔦温泉を訪ねて感動に浸った。

さらに『元気です。』には『高円寺』という曲があり、それが頭にあったから、東京で初めてアパートを借りたときは高円寺を選んだ。

最初のレコードはそれほどインパクトが強かったが、2番目に買ったレコードが何だったのかはまったく記憶にない。

それが2番目の宿命かも、と次男坊の僕は思ったりする。

あの日の『ゴッドファーザー』

初めてのレコードと同じく、僕が映画館で初めて映画を観たのも小学5年生だった。初めての映画館は縄手通りにあった松本中劇で、観た映画は『ゴッドファーザー』だ。有名な大作だから説明の必要はないだろうが、小学5年生の子供が好んで観る映画ではない。洋画好きの母親が観たかったのだ。記憶が定かではないが、母は映画を観るために女性がひとりで村から松本へ出かけることが気まずかったのではないだろうか。それで小学生としてはませていた僕を兄とともに連れて出かけたんだと思う。

僕は初めての映画館に胸をときめかせて松本中劇に入った。真っ暗な館内でスクリーンに色鮮やかな大きい画面が映し出されたときは感動した。音の大きさにも驚いた。

でもストーリーはまったくわからなかった。字幕の文字を追うこともむずかしかった。ベッドに血まみれの馬の首があったシーンと銃撃シーンが強烈で、そういう映像だけが頭に焼きついた。観終わってから母親が映画の解説をしてくれたが、わけがわからなかった。何がいいか理解できなかった。3時間近い映画だったが、最後まで居眠りせずに画面を観続けたことは覚えている。

やがて大人になった僕は、レンタルビデオ屋で『ゴッドファーザー』を借りて、部屋で観た。

こんなに深い映画だったのかと感激した。

そしてあらためて思った。こんな映画、小学生にわかるわけないだろ、と。

大いに感銘を受けた僕は、その後ＤＶＤが安く販売されるようになったときに『ゴッドファーザー』を購入し、何度も観た。

壮大なストーリーはもちろん、俳優陣の演技や監督の演出にも惹かれて『ゴッドファーザー』のファンになり、ＰＡＲＴⅡもＰＡＲＴⅢもＤＶＤのライブラリーに加えた。

それから時は流れ、最初に『ゴッドファーザー』を観てから45年後。

結婚25年記念として僕は妻とイタリアのシチリア島を旅した。

僕と妻が大好きな映画『ニュー・シネマ・パラダイス』のロケ地を訪れたくて、レンタカーでシチリア島を巡り、その道中でたまたま通った村の名前を目にして、ドキッとした。

コルレオーネ村。

マーロン・ブランドが演じたゴッドファーザーは幼少時にシチリア島からアメリカに移民として足を踏み入れるのだが、入国管理官は英語が理解できない少年の名札に書かれていた出身地名を名前だと勘違いして登録する。新たな名前になった少年はやがてアメリカの闇の社会に君臨するマフィアに成長していく。

あのコルレオーネ・ファミリーの発祥がこの村であり、自分の映画歴の原点に旅先で偶然に巡り合えたことに、胸が震えた。

少年のパーソナルラジオ

小学6年生の頃からラジオを好んで聴くようになった。

ラジカセ登場以前の製品で電源コードがついた東芝製のトランジスタラジオだ。性能はそれほどよくなかったけど、自分の部屋にこもってひとりで好きな時間に聴くことができるラジオは少年の宝物だった。

松本市内や全国の開けた町村ならあたりまえにNHKや民放の放送が聴けただろうが、山に囲まれたわが村は電波の受信状況が悪く、NHK第2放送しか聴けなかった。

でも夜になると上空の電離層の関係で遠くの放送局が受信できるようになる。僕は長野県民なのに長野県の放送には耳を傾けず、というか傾けられず、名古屋や東京の放送を受信していた。

特に愛聴していたラジオ局はニッポン放送だ。

野球のナイター中継のあとの『欽ちゃんのドンといってみよう!』(テレビは『欽ちゃんのドンとやってみよう!』だが、もとになったラジオ番組は『欽ちゃんのドンといってみよう!』だ)で読まれるハガキがおもしろくてラジオの前で笑って聴いていたし、兄の影響もあって深夜放送にもハマった。

あの『オールナイトニッポン』に関しては言わずもがなであるが、『オールナイトニッポン』の放送直前の番組も鮮明に覚えている。

ヤマハが提供する『コッキーポップ』という音楽番組で、大石吾朗がパーソナリティーを務め、ヤマハのポプコンや世界音楽祭などの曲を紹介していた。

僕が進学することになる高校の先輩、上條恒彦と六文銭の『出発の歌』や、中島みゆきの『時代』を初めて耳にしたのも『コッキーポップ』だった。あの頃ラジオで聴いた曲はインパクトが強く、いまでも歌詞を見なくてもフルコーラスを歌える。

でも深夜放送を安定した状態で聴けていたわけではない。

ニッポン放送の周波数のすぐ近くにモスクワ放送があり、電波の強さの関係なのか、モスクワ放送のほうが強くなってニッポン放送の音がかき消されることがたびたび起きた。

受信環境がよくない山村ならではの哀しさで、東京よりもさらに遠い外国から届く電波を恨めしく思い、再び聞こえるようになるはずのニッポン放送をラジオの前で待ち続けた。

やがて大人になり、紀行作家になった僕はラジオ番組にも出演するようになった。

ＴＢＳラジオの番組に5年近くレギュラー出演していた時期もあるし、いまでも年に何回かはラジオ番組にゲスト出演している。

語りのプロではないけどそれなりに評価されているのは、受信状況が悪いラジオに耳を傾けていた山村の少年が頭の片隅に残っているからだ。

うちにいたペットたち

うちはペットを飼うのが好きな家族だった。

自分が物心ついた頃には『名犬ラッシー』で有名なコリー犬がいたし、コリー犬亡きあとも立て続けに犬を飼った。僕が知っている範囲で4匹の犬がいたが、犬にとっていい環境ではなかったと思う。うちの犬は鎖につないで外で飼っていた。裏庭の木と木の間に太い針金を張り、そこに鎖を通して、裏庭を行き来できるようにしていた。餌《えさ》はごはんに味噌汁を少しかけて水で薄めたものを毎食与えた。それが村での一般的な飼い方だったのだ。

犬以外に鳥もいた。ひよこから育てたにわとりがいたし、僕は十姉妹《じゅうしまつ》、兄は鳩《はと》を飼っていた。姉妹のように仲がいいからその名がついた十姉妹は子供でも飼いやすく、繁殖も容易だとされているが、僕の十姉妹は卵を産んでくれなかった。

冬はかなり冷え込む山村の環境がよくなかったのかもしれない。僕の愛情も足りなかったと思う。1年も経たないうちにオスもメスも死んでしまったが、それほど悲しんだ覚えがない。

一方、兄は鳩に愛情を注いだ。2階のベランダに人が入れるくらいの鳩小屋を自作し、兄は熱心に数羽の鳩の面倒をみていた。その愛情が伝わったのだろう。鳩たちは兄によくなついた。小屋の外に出した鳩が兄の腕に乗り、じっとしている姿に僕は感動した。

伝書鳩が流行っていた時代だ。兄も遠くから鳩を放して小屋に帰らせていた。鳩を運んでくれたのは叔父だ。ダンプカーで仕事に出かけるときに鳩を持っていき、現場近くから放す。松本から放鳥したこともあるが、それでも村に帰ってきて自分の小屋に入る。従順な鳩たちだったが、あるとき兄が放したらなぜか家の上を旋回して、そのままどこかへ飛んでいってしまった。落胆する兄を、下宿していたS木先生たちが優しくなだめていた光景が記憶にある。

九官鳥《きゅうかんちょう》もいた。名前は九官鳥の定番Qちゃんだった。最初にQちゃんが覚えた言葉もよくある話で「キューチャン」だ。「オハヨ」や「コンニチワ」もしゃべるようになったが、あいさつをマスターする前に「アッハッハッハーッ！」と隣のおばさんの豪快な笑い声やダンプカーがバックする警告音を覚えて、僕らを楽しませてくれた。

兄が高校受験を迎えたとき、Qちゃんに「オメデトウ」を覚えさせようと母が教えはじめたが、その言葉を覚えることなく、家族全員で出かけて帰宅したらなぜか亡くなっていた。家のなかが急に静かになり、寂しさがつのった。

父も母も猫が苦手だったから、うちは猫を飼ったことがなかった。もし飼ったとしたら、猫と鳥たちはどんな関係になったのだろう?

現在わが家には猫が2匹いて、若い猫はしょっちゅうスズメやヒヨドリを捕まえ、僕の部屋の前に置く。あの頃のように鳥を飼うことは、猫がいる限りは不可能だ。

田舎の児童会長

5歳下の弟は、兄を「おっきいにいちゃん」と呼び、僕を「ちっちゃいにいちゃん」と呼んでいた。2歳違いの兄は体格もよく、物おじしないリーダー的な人物だったが、僕は体も小さく、家では兄に隠れておとなしかったので、弟の瞳には見た目以上に大きい兄と小さい兄に映っていたのだろう。

その弟が小学校に入学した日、家に帰って母に報告したそうだ。

「ちっちゃいにいちゃんがえらかった」と。

小学6年生の僕は児童会長として新入生を迎えたのだが、家ではちっちゃいにいちゃんが学校では立派に見えて弟はびっくりしたようだ。

自慢話をするつもりはさらさらないが、僕は村の小学校で常にトップの成績を収めていた。2歳上の兄がそうだったように自分も児童会長になって当然だと、周囲も思い込んでいた。

自分の成績がトップであることを低学年の頃はそれほど意識していなかったが、学年が上がるにつれて嫌悪感に似た感情を抱きはじめた。

トップといっても、それが小さな山村の世界だからであることは、自分がよくわかっている。松本に出れば自分なんか歯が立たない。井の中のカワズだった自分の立場と村の環境が思春期になるにつれていやになり、つらくもなった。

その思いを強くしたのは修学旅行だ。松本市内の小学校は名古屋へ出かけていたが、わが村の小学校は2泊3日で東京を巡った。

僕は何度か東京に出かけたことがあるが、級友のほとんどは初めての東京だった。

級友たちは大都会に度肝を抜かれ、どこへ行っても、何を見ても目を丸くし、声を発して驚く。羽田空港を見学したときは、児童副会長で行動力がある活発な女子、いずみちゃんが空港に居合わせた西欧人旅行者に旅行のしおりを出してサインを求めた。他の女子もそれに続いてサインをねだった。村の子供たちは外国人を見たことがなく、一般の外国人でもスターに思えたのである。西欧人旅行者もスターになった気分だったかもしれない。朗らかに笑って、みんなのしおりにサインをして返した。

いまの僕ならその姿を微笑ましく思うだろうが、当時の僕は田舎者丸出しの級友たちのリアクションも行動も恥ずかしかった。

自分も東京の人から見ればこの級友たちと同じ田舎者に思われているに違いない。その事実がつらかった。

当時の自分に会えるなら「そう思う君が一番の田舎者だよ」と声をかけたいが、小学6年生になった僕は自尊心が強く、自意識過剰の児童会長だったのである。

そのとき僕は 1

1964
昭和39年
東京オリンピック開催

当時3歳だったが、白黒テレビで東京オリンピックを観た記憶がある。人名だとは知らず、アナウンサーが連呼した「リスカル」と「アベベ」という言葉が印象に残った。

1967
昭和42年
グループサウンズ全盛

ジャッキー吉川とブルーコメッツが『ブルーシャトー』でレコード大賞を獲得するのを大晦日に観た。流行った替え歌のせいで「森トンカツ、泉ニンニク…」としか歌えない。

1968
昭和43年
アニメ『巨人の星』放送開始

実在の長嶋茂雄や王貞治が登場するし、1打席の勝負が1回の放映で終わらないストーリーや実写もある展開が続いた。巨人しかプロ野球を知らない僕らを夢中にさせた。

1969
昭和44年
アポロ 11 号月面着陸

新校舎には各教室にテレビが配置されていた。両開きの扉がついたテレビだった。先生がテレビをつけてくれて、着陸の瞬間をクラスのみんなで見て興奮した。

1970
昭和45年
三島由紀夫　割腹自決

購読していた朝日新聞の1面に自決した三島由紀夫の首の写真が出ていて衝撃的だった。父を戦争で亡くした母が、その写真に対して不快感を示した。

1972
昭和47年
札幌オリンピック開催

スキージャンプの日の丸飛行隊の影響は大きくて、友達にズボンのベルトを持ってもらって、前傾姿勢をとる遊びが流行った。

1973
昭和48年
オイルショック

村に2軒だけあったS藤商店でトイレットペーパーを買おうとしたら、1ロールしか売ってくれなかった。小さな山村でも買い占めの波が押し寄せていたことを実感した。

2 中学時代

山村の中学生になる

森昌子が「せんせい―それはせんせい」と歌っていた年、僕は中学生になった。

村立の小中学校だから同じ校舎だし、1クラスしかない生徒の顔ぶれも同じだから進学した実感はあまりなかった。

でも母から入学祝いにプレゼントされたプラチナの万年筆や詰め襟の学生服が誇らしくて、大人の世界に近づいた気がした。教科ごとに教える先生が違うことも新鮮で、勉学の意欲も湧いた。

下宿していたS木先生や2歳上の兄がビートルズやサイモン&ガーファンクルを聴いていて、英語の曲に感化されたからだろう。英語の授業で外国人を気取ってしゃべったら、M先生に「君は発音がいいね」と褒められて、英語が好きになった。

3年生との年齢差も意識しはじめた。3年生が大人びて見えたのである。小学校のときは兄の友人たちを「○○くん」と気楽に呼んでいたのに声をかけにくくなり、「○○さん」と敬語で呼ぶようになった。先輩と後輩の関係を意識しはじめたのだ。兄に対しても小学校のときは「おにいちゃん」だったのに中学校ではそう呼べなくなった。

では、兄をどう呼んでいたのか？　それが思い出せない。生徒会長の兄は学校のリーダー的存在で、1年生にとっては声をかけにくい存在だった。弟の僕も学校では声をかけないように心がけていた気がする。

入学して1ヶ月ほど経つと、放課後に生徒全員でバレーボールの練習がはじまった。

小さな中学校だからクラブ活動がなく、1年生から3年生まで全校生徒がバレーボールに専念して郡の大会に出場するのである。

男子バレーボールの日本代表がミュンヘンオリンピックをめざすアニメと実写を組み合わせた番組『ミュンヘンへの道』がテレビで放映され、期待に応えて金メダルを獲得したものだからバレーボールの人気は高かった。

でもわが地域では中学生のバレーボールは6人制ではなく、9人制だった。前衛、中衛、後衛にポジションが固定され、前衛はスパイクを打つ攻撃担当、後衛はレシーブする守備担当というように役割が決まっているバレーボールだ。

レギュラーは全員が3年生、2年生は補欠、僕ら1年生は球拾いを担当した。それが村の学校のしきたりだった気がするし、実際に学年の力の差は歴然だった。

兄が前衛を担当したそのチームは強かった。

体育の先生も入った学校の教職員チームとの練習試合では3年生チームがいつも圧勝する。前衛の兄たちはスパイクをバンバン決めるし、中衛のN先輩はミュンヘンオリンピックで日本代表が披露したBクイックをマスターしていた。

来たるべき郡の大会では好成績が期待された。

町の中学校vs.山村の中学校

郡の球技大会当日、わが村の中学校は生徒全員が学年別にバスに乗ってバレーボールの会場に出かけた。

生徒数が多い町の中学校はサッカー部も野球部もバスケットボール部もあって、それぞれに試合があるけど、わが中学校はバレーボールしかない。全校生徒が一丸となってバレーボールに打ち込んできたのだから、町の中学校には負けたくない。今年の3年生チームは強いと先生たちも口にしていたから、きっと勝てる。郡大会で優勝して次のステップである中信大会へ進めるんじゃないか。そう信じて、僕らは応援した。

でも3年生は動きがぎこちなかった。ガチガチに緊張していた。第1試合の相手が郡で2番目に大きな町の中学校だったこともあり、雰囲気に呑まれていた。

いつもならバシッと決まる兄のスパイクもラインアウトになる。キャプテンは自分がどうにかしようと強引にスパイクを打ってミスを重ねる。レシーブのときも選手がお見合いをしてしまってボールを拾えない。

わがチームは持ち味を発揮できないままストレート負けしてしまった。次の試合はそれほど大きくない村の中学校だったから期待したけど勝てずに連敗した。

最後の試合の相手は郡で1番大きな町の中学校である。予想どおり第1セットをとられてしまい、誰もが全敗を覚悟した。

ところが第2セットに入ると、予想外の声援が会場で湧き起こった。

「ガンバレーッ　○○中！」

声援を送ったのは、隣村の中学校の生徒たちである。その中学校も山深い場所にあって、わが中学校と同じく全校生徒がバレーボールをしている。さらに同じ境遇にある別の山村の中学生たちも応援に加わった。

「ガンバレー！　○○中！」

声援がさらに大きくなり、わがチームのエンジンがかかった。

キャプテンや兄のスパイクが決まる。これまでの試合では使わなかったN先輩のBクイックも炸裂《さくれつ》。チームが一体となって好レシーブを連発。

ポイントが入るたびにコートは他校の生徒の拍手と声援に包まれる。勇気をもらった僕らも懸命に声援を送る。会場が一体となったその応援でますますチームは燃え、本来の力を発揮して郡で1番大きな町の中学校に勝利した。

ジャイアントキリングだ。勝利の瞬間は山村の中学3校がひとつになって喜びを分かち合い、僕は感動に胸が震えた。

わが人生で生のスポーツを観て感動した初めてのゲームだった。

僕のお姉ちゃん

僕ら3人兄弟にはふたりのお姉ちゃんがいた。

母の姉の娘たち。つまりいとこなんだけど、母と伯母はふたり姉妹だったし、下のお姉ちゃんが兄と同い年で、上のお姉ちゃんが2歳年上というバランスもよくて、僕ら5人は物心がついた頃から仲がよかった。

僕らはお姉ちゃんが大好きだった。特に上のお姉ちゃんが僕は好きだった。

お姉ちゃんが暮らす木曽の町へ出かけることがとても楽しみだった。

お姉ちゃんはいつだって笑顔で迎えてくれて、僕らを何かと褒めてくれた。叱られたり、いやな言葉を言われたりした記憶はない。温かくて、ナイーブで、かわいい女性だった。一緒に暮らせる本当のお姉ちゃんだったらな、とずっと思っていた。異性を意識した最初の女性でもあり、もしかしたら初恋だったのかもしれない。

あれは中学生になって試験勉強をしていたときだったと思う。

いつものように僕は雑音混じりの『オールナイトニッポン』に耳を傾けていた。『オールナイトニッポン』を聴かないと落ち着かないくらい愛聴していた。

その日のパーソナリティーは〝アニキ〟と呼ばれてリスナーに支持された諸口あきらだった。女子高生から届いた手紙を読みはじめたのだが、それがお姉ちゃんからの手紙だとわかって僕は興奮した。

手紙には2歳下の妹への思いが書かれてあって、パーソナリティーの諸口あきらも「いい姉妹だね」と感心していた。

やっぱり僕のお姉ちゃんはすごい。文才もあるんだ。人の心を動かすんだ。

翌日電話するとお姉ちゃんはたまたま寝過ごして聴いてなくて、とてもくやしがっていた。

お姉ちゃんはあの吉田拓郎にも手紙を書いた。

ただのファンレターではなく、深いメッセージを込めた手紙だったと本人は言う。その手紙を送ってからしばらくして出た新曲はお姉ちゃんの名前がタイトルになっていた。

「拓郎が私をイメージして書いた曲よ」とお姉ちゃんは喜んでいたが、実際の話はわからない。でも僕は信じることにした。

ラジオ番組のパーソナリティーを感動させる手紙を書いたお姉ちゃんなんだから、きっと吉田拓郎にも熱い思いが伝わり、インスパイアされたはずだと、僕は思っている。

あれから長い歳月が流れ、気がつけば僕はお姉ちゃんよりも10歳近く年上になってしまった。

何かの折に吉田拓郎の曲を耳にするたびに、お姉ちゃんを想う。

あの曲のタイトルは遺《のこ》された僕たちみんなの思いなのだ。

曲のタイトルは『たえこ　ＭＹ　ＬＯＶＥ』という。

山村を離れて松本へ

中学2年生に進級するとき、僕は人生最初の転機を迎えた。

生まれ育った山村を離れて松本市内へ、家族全員で引っ越したのだ。

うちは村で旅館と酒屋を営んでいたが、僕が小学生のときにどちらも廃業。母は学校の先生が暮らす下宿屋をしながら、松本の郊外で建設業を営む父の仕事を手伝っていた。僕が中学生になると母は毎日父の会社に通うようになり、しわ寄せが5歳下の弟に及んだ。小学2年生の弟は僕らが帰宅するまでひとりで過ごさねばならない。遊び相手がいない村の広い家で、ひとりぼっちで過ごす弟が不憫《ふびん》で、母は松本で暮らす生活を考えはじめた。

詳しい経緯は知らないが、松本市内の一軒家を父がたまたま手に入れたことも決め手になったようだ。村の子供たちは中学を卒業したら高校進学のために村を出ていくので、兄の中学卒業とともに僕らは松本市内へ引っ越すことになった。

僕はうれしくてたまらなかった。

山村の生活が嫌いで、便利な町の生活に憧れていた。井の中のカワズみたいな狭い山村から脱出できる。広い世界でたくさんの人々が自分を待っているんだと、希望に胸をふくらませた。

3学期に入ると、松本の中学校へ転校する準備がはじまった。

村の中学校では社会科の授業は1年生で地理、2年生で歴史を学ぶカリキュラムだったが、転校先の中学校は地理と歴史を同時に学んでいた。2年生から転入すると、歴史の最初のパートを学べずに終わる。高校入試で不利になるとうちに下宿していた中学校のK先生が言い出し、特別補習授業が毎晩開かれた。

それは当時ヒットしたフィンガー5の『個人授業』ともいえる。

K先生は社会科の教師であり、夕食のあと僕はK先生の部屋に出かけ、マンツーマンで歴史の授業を受けた。楽しい授業ではなかったけど、僕のために時間を割いてくれるK先生に申しわけないから真剣に耳を傾けた。

学習塾に通った経験も家庭教師に習った経験もない僕だけど、自分の家で現役の教師に教わるレアな体験をしているのだ。

3学期が終わりに近づくと自分が松本の学校でやっていけるか、不安も感じるようになった。それにクラスメートと別れる寂しさもあった。密かに恋い焦がれている女子もいたのだ。

3学期の終業式の日は寄せ書きをもらったが、色紙を手にした僕は彼女の言葉を真っ先に探して、何度も見返した。

「新しい学校でもがんばってください」

彼女の寄せ書きはなんてことない普通の言葉だったけど、そこには特別な思いが込められている気がした。思い込みに過ぎないだろうけどね。

マサキからサイトウへ

山村から松本市内に越してきたわが家の新居は、国道19号沿いにある一軒家だった。新築ではなく、中古の物件だ。夜中に走る大型トラックの音が室内まで響くし、広さが山村の家の3分の1にも満たなかったが、街の生活に憧れていた僕は「これが街の暮らしなんだ」とポジティブにとらえていた。

近くにスーパーマーケットもあるし、憧れの本屋やレコード屋へも歩いていける。松本に引っ越してきた初日はうれしくて眠れないほど興奮していた（いま思えばトラックの音がうるさかったのかもしれないけど）。

山村ではモスクワ放送と混信した『オールナイトニッポン』や『コッキーポップ』が安定して聴けることにも感動したし、山村で受信できなかったFM放送がクリアな音質で、しかもステレオで聴けることにも文明を感じた。

FM放送で初めてクイーンの『ボヘミアン・ラプソディ』を耳にしたときは、右へ左へと行き交うサウンドの広がりと美しいハーモニーに心が震えた。

新たに通う中学校は、市街地を見渡せる丘の上にあった。

市内中心部の生徒たちが通う歴史ある中学校だ。1学年が6クラスもある中学校は僕の目には巨大に映り、初登校の日は通学路をぞろぞろと歩く生徒の数に圧倒された。

こんな立派な学校に僕は受け入れてもらえるのだろうか？

不安に襲われ、緊張でガチガチだったが、僕以外にも転入生がいて少し安心した。

オダギリと名乗った彼は東京の立川から引っ越してきたという。

「君はどこから？」と聞かれて山村の名を答えたら彼は首をかしげた。

当然である。わが村の名を知るはずがない。僕にとって松本は都会だけど、立川から来たオダギリくんには松本が田舎に見えたことだろう。

僕とオダギリくんは2年3組になった。

3組という響きが1学年1学級の村から来た僕には魅力的だった。

それに山村では同じ名字が大半を占めていたから（リオ五輪で長野県出身者初となるメダルを獲得したアスリートと同じ名字だ。彼女の名を初めて聞いたときは頭に故郷が浮かんだ）、お互いを名前で呼び合っていたが、こちらは違う。名字でお互いを呼び合う。

幼い頃からずっとマサキだった自分がサイトウになったことで大人に近づいた気がしたし、名簿順もランクアップした。

名字の種類が少ない村の中学校は名簿が生年月日の順番になっていたが、松本の中学校は五十音順だ。僕は3月下旬生まれだから村では最下位だったが、松本の中学校では上位にアップした。それもちょっぴりうれしかった。

初めてのクラスマッチの結末

クラスメート全員の顔を覚えて新しい中学校にすっかり馴染んだ頃、学級対抗のスポーツ大会、クラスマッチが開催された。

1学級しかなかった山村から転校してきた僕にとって初めての経験だ。バスケットボールとバレーボールの2種目があり、前の学校でバレーボールを経験していた僕はバレーボールのチームに入った。

大会前日、チームのリーダーが「優勝するぞ。負けたら全員で頭を丸刈りしよう」と口にした。チームを鼓舞するための言葉だろう。本気ではない、と僕は思った。それくらいの意気込みで戦おうということなんだと理解して、試合に臨んだ。

結果は6組中4位だった。

半端な成績にチームメートは落ち込んだが、みんなが一生懸命戦った結果だから仕方ない。初めてのクラスマッチに僕は満足した。

ところが翌日、チームメートの半数以上が丸刈りの頭で登校した。

マジかよ！　たかがクラスマッチで負けたくらいで丸刈りになるのか。彼らの純真さに驚きつつも、一途さが怖くもあった。

丸刈りは続出し、ついに転校生のオダギリくんと僕以外のバレーボールチーム全員が丸刈りになった。

僕らに対する風当たりが強くなった。僕らを責める友人もいたし、さげすんだ目で見る友人もいた。「君たちは途中から来たよそ者だから」とあからさまに口にする生徒もいた。

丸刈りなんかしたくない。思春期で髪型を気にする年頃である。なんでみんなは平気なんだ？と思ったし、敗北の連帯責任をとらされて罰を受ける空気が軍隊みたいで嫌悪感もあった。

そもそも僕らは丸刈りになる約束をしていないし、同意もしていない。オダギリくんも同意見で、「丸刈りになる意味がない。なるもんか」と断言した。オダギリくんの存在が心強かったが、丸刈りにならないと村八分の状態が続く……。

どうしよう？　踏み絵をつきつけられた僕は悩みに悩んで、頭を丸めた。みんなより遅れた謝意を示そうと、一般的な五分刈りよりさらに短い五厘刈りにした。

翌日、登校すると歓声が沸き起こった。教室の空気がガラッと変わり、僕は温かく迎えられた。うれしかったが、オダギリくんには合わす顔がなかった。でも東京から来たオダギリくんは強かった。孤立状態になっても屈せず、最後まで髪を切らなかった。そんな彼を批判する級友もいなくなった。

僕とオダギリくんの選択。どちらが正しいかはわからないが、苦境に立っても自分の信念を貫き通したオダギリくんを、僕は尊敬する。

他愛もない級友の口撃

山村から転校してきた僕は、松本の学校にすんなりと入り込めた。転校生を仲間として積極的に受け入れる姿勢がクラスに根づいていたと思う。

しかし、すべての級友が僕に好意的なわけではなかった。

その級友を仮にノブオとしておく。ノブオの表情には僕への敵対心が感じられた。そう感じたから僕はノブオを敬遠した。その態度をノブオも感じたから、僕を気に入らなかったのだろう。負のスパイラルにおちいっていたんだと思う。

転校して1ヶ月ほど経った月曜日の朝、ノブオが言った。

「サイトウが住んでた村って、すげえ山奥の田舎だな」

ノブオは週末にわざわざバスに乗ってわが村まで出かけたのだ。

「1時間もかかって着いたらとんでもない山の村だった。あんな田舎によく人が住めるな」と、ノブオはみんなに言いふらした。

僕は何も言えなかった。怒ることも反論もできなかった。凍りつくってこういうことだと思った。心臓が高鳴ったことを覚えている。

それ以来、弱気な僕にノブオは執拗《しつよう》にからむようになった。

友人たちと前日観たテレビの話をしていると「あんな村じゃテレビは映らないだろ」と割り込んできたり、洋楽の話をしても「田舎者のくせに気取るな」と僕を挑発し続けたりした。

いまの僕なら、いや、高校生の僕でもノブオの理不尽な言動には屈しないだろう。「それがどうした。村で生まれて何が悪い」と村の友人のためにも堂々とあらがったはずだ。

でも中学生の僕は強くなかった。新しい同級生たちに嫌われたくなくて、村で生まれ育った自分に負い目を感じて萎縮するつまらない少年だった。

解決策を見いだせず、先生にも親にも相談できず、ただ耐えた。

クラスマッチの敗北で丸刈りになった理由のひとつは、ノブオが「田舎者のサイトウに丸刈りになる勇気はねえよ」と口にしたからでもある。ノブオを見返したい気持ちが、級友より短い五厘刈りに駆り立てた動機でもある。

丸刈りの頃からノブオの口撃にも慣れ、ノブオも僕をいじめることに飽きたのか、村の話をしなくなった。時間が解決したのだ。

そんな弱い自分だったから、理不尽ないじめに苦しんでいる生徒に的確なアドバイスを伝授できない。

ただこれだけは言える。僕はノブオのおかげで強くなれた。心の痛みを理解できる少しだけ優しい人間になれた。

ノブオは僕を成長させる糧《かて》だったんだと思う。

秀才と高級レストラン

僕が通う松本市内の中学校は文部省のモデルスクールだった歴史ある学校で、英語の授業は能力別にA組、B組、C組というようにクラス分けされていた。

英語が得意だった僕はA組に編入させてもらったが、授業のレベルは高かった。

先生は流暢な英語を話すし、生徒たちは積極的に英語で先生と対話をする。自分がついていけるか心配になったが、その不安は的中した。最初の中間テストで僕の成績は芳しくなかったのだ。

英語のクラスの入れ替えは学期ごとに実施される。次の期末テストで好成績を残せなかったら自分はB組に落とされる。

僕は真面目に勉強した。松本市内に引っ越してからラジオがよく入るものだから深夜放送にますます夢中になっていたが、ラジオをあまり聴かずに勉強に打ち込んだ。

その努力が実って期末テストでは高得点を獲得できて、A組残留が決まった。

母も成績を心配していたから喜び、ご褒美を僕に与えてくれた。市内の縄手通りの入り口に鶴林堂《かくりんどう》という大きな書店があり、そのビルの最上階には高級レストランがあった。いい成績をとったら、兄と3人でその店で食事をしようと小金をコツコツと貯め込んでおいたのだ。

初めて入る高級レストランだ。母と兄と僕は緊張しながらウエーターに案内されて席についた。

どんな人がこういう店に食べに来ているのだろう？　店内をキョロキョロ見回すのははしたないと思ったが、気になったものだから首をあまり動かさずに店内をチェックした。すると、奥のテーブルにA組の同級生であるK原くんがいて、家族と食事をしていた。学級が違うから話をしたことがないが、彼を知らない生徒はいない。K原くんは学年トップの成績を収める秀才だったからだ。

母に話すと「成績がトップで、こんなところで食事をする家族なんてどんなおうちなんでしょうね」と、母は興味津々だった。でも親しく話をできる状況ではない。K原くんたちに軽く会釈をして料理を待った。母も兄も僕も高級レストランの雰囲気に呑まれていたけど、そう思われたくなかったから背筋を伸ばして静かに会話を交わした。

初めて口にする極上ステーキはとびきりおいしかった。母は10%のサービス料加算が頭になくて、周囲に気づかれないようにこっそり僕からお金を借りて支払い、店を出て大笑いするオチもついた。

後日、英語の授業に参加するとK原くんが僕に近寄ってきて言った。

「サイトウくんはすごいな。いつもあんなところで食事をしてるんだ。うちは初めて入ったんだ」

笑ってしまった。K原くんの家族も僕らと同じ境遇だったのだ。

うちも同じだったんだと話したらK原くんも笑って、僕らはお互いに親近感を持った。

成績のレベルが違うから、親友の間柄に発展することはなかったけど。

ラジカセのエアチェック

松本市内の中学校に転校したとき、母がラジカセを買ってくれた。どの店で買ったか、よく覚えてない。家電量販店などない時代だから、伊勢町にあった小さな電器屋で買ったんだと思う。縦格子の装飾が施されたナショナル製のラジカセで、ラジオの受信感度も音質もよくて、僕の宝物になった。

そのラジカセは外部接続端子がなくてレコードプレーヤーから直接録音できなかったから、FMラジオの音楽番組からカセットテープに曲を録音して楽しんだ。ラジオやテレビの番組を録音することをエアチェックと呼んでいて、当時はFMラジオの番組表を掲載したFM情報誌があった。

『FMファン』と『週刊FM』と『FMレコパル』の3誌だ。『FMファン』と『週刊FM』はクラシックやジャズを特集することが多かったが、小学館発行の『FMレコパル』はロックやポップス寄りだった。アーティストの自伝マンガを掲載するなど、中学生でも親しみやすい内容で、僕の愛読誌となった。

『FMレコパル』を買ったら番組表をじっくり見て、気になるアーティストの曲をチェックする。長野県はまだ民放のFM局がなくて、NHK－FMしか受信できなかった。ポップスやロックがたくさんかかるＦＭ東京の番組表がうらやましかったが、ＮＨＫ－ＦＭはＣＭがなく、演奏時間が長い曲も最後まできちんと聴かせてくれる。それが魅力だった。

かかる楽曲はクラシックが多かったが、夕方4時20分からはじまる『軽音楽をあなたに』はポップスをときどき特集して、エアチェックに最適な番組だった。渋谷陽一がＤＪを務める『ヤングジョッキー』も洋楽専門で、聴いたことがない音楽に胸が弾んだ。

カセットテープには音楽だけを録音したいから、一時停止ボタンを使って録音待機状態にしておき、パーソナリティーの語りが終わって曲がはじまる直前に一時停止を解除して録音をスタートさせる。そして曲が終わって、語りが入る直前に一時停止をする。タイミングを逃すと、曲の頭が入らなかったり、曲のあとにパーソナリティーの声が入ってしまったりする。思いどおりにエアチェックができて、カセットテープのラベルに曲目を書き込めたときはささやかな幸せを感じた。そんなふうにエアチェックを繰り返して、自分だけの音楽ライブラリーを増やした。

それまで聴いていた洋楽はビートルズやサイモン＆ガーファンクル、カーペンターズなど、自分でも口ずさめる曲だった。でもＦＭラジオではピンクフロイドやレッドツェッペリンなどもかかる。演奏時間が長い『原子心母』や『天国への階段』を聴いたときは未来への扉が開いたような感動があり、エアチェックしたカセットテープを繰り返し聴いた。

ラジカセには少年の世界観を広げてくれる夢が詰まっていた。

オーディオに憧れて

中学生のときに、岩崎宏美が歌う『ロマンス』を繰り返し聴いた。ファンだったわけではない。当時はオーディオがブームで、友人が自慢のオーディオで『ロマンス』を何度も聴かせてくれたのである。

岩崎宏美の歌声はオーディオ機器の性能チェックに最適な声質だという。オーディオ評論家が新製品を試聴するときは岩崎宏美のレコードを使うそうで、友人もそれにならって岩崎宏美を何度もかけて高音質のオーディオを自慢した。

当時の青少年の多くがそうだったように、僕らはいい音に憧れていた。

最初はラジカセに満足していたけど、だんだんとその上の音に関心が移った。ラジカセのようにそれ1台で音楽が聴ける機械ではなく、スピーカー、アンプ、レコードプレーヤーなどの機器を別に揃えるコンポーネントステレオ、通称コンポに惹かれた。

男子中高生の多くはコンポを自室に持つことを夢見ており、愛読していたFM情報誌もオーディオを必ず特集していた。その誌面に紹介される製品は羨望の的だった。

サンスイのAU－D907やデンオンのD－103、ヤマハのNS－1000Mなど、コンポの品番をいまもそらで書けるほど頭に焼きついている。

とはいえ、実際にそれらのコンポの音を聴く機会はない。雑誌が紹介する記事を鵜呑みにして、それらの製品の組み合わせが最高にいい音を奏でるんだと僕は信じ込んでいた。実際に乗ることはできないスーパーカーに憧れる感覚に近かったかもしれない。

そんな僕にとって垂涎《すいぜん》の店が、市内の大名町通りにあった。

高級コンポを販売するオーディオマックだ。店内の奥には試聴ルームもあるのだが、中学生が入るには敷居が高い。外からちらちらと店内を眺めるくらいが関の山だったが、あるときコンポを試聴している同級生の姿を見て驚いた。

駅前の老舗和菓子屋の息子、F原くんだ。臆することなく堂々とソファに座ってクラシック音楽を聴いている姿はさまになっていて、中学生には見えなかった。パイプを片手に煙をくゆらせても違和感がないほどの貫禄である。

そんなF原くんに「サイトウも一緒に聴こう」と誘われて初めてオーディオマックで試聴した。すばらしい音だったが、緊張していたからどんな音楽を聴いたか記憶にない。でも高級コンポに負けないF原くんの貫禄は、いまでも記憶に残っている。

大人になっても高級コンポは購入できなかったが、大学時代にオーディオ評論家の長岡鉄男氏が考案したバックロードホーンと呼ばれる構造のスピーカーを自作した。

40年近く経ったいまもそのスピーカーを愛用しているが、エイジングが進んだおかげで高級スピーカー並みの音を奏でている。僕のプチ自慢のひとつである。

内緒の話はあのねのね

フォークソングが流行った70年代、清水国明と原田伸郎のコンビ「あのねのね」が絶大なる人気を誇っていた。

『赤とんぼの唄』や『魚屋のおっさんの唄』など、誰もが口ずさむヒット曲を連発する国民的歌手でもあり、笑いの渦に巻き込む芸人でもあり、若者を熱狂させるアイドルでもあった。

そのふたりが松本でもコンサートを開催することになり、僕は同級生5人と公演に出かけた。

中学の校則では保護者同伴でなければコンサート会場や映画館に入場できない決まりになっていたが、どうしても行きたかったし、高校生の兄も友人と一緒に行くので、兄たちが保護者がわりになると思い込むことで、罪の意識がやわらいだ。

公演会場は、当時の松本では最大の収容人数を誇る、信州大学近くの県営体育館だった。

初めから終わりまで歓声はすさまじく、ステージにモノは投げられ、会場は爆笑に包まれて、僕らは初めて観た公演に大いに満足した。

ところが翌日「あのねのね」の公演に行ったことが担任の先生にばれてしまい、出かけた僕らは職員室に呼び出されて担任の先生から説教をくらった。

校則違反をしたわけだから叱られても仕方がない。僕は神妙な面持ちで先生に謝罪した。しかし先生の説教は受け入れがたかった。「校則を破ったことよりも、君たちがああいう歌手を見に行ったことが問題なんだ。自分もあんな大人になりたいとバカな考えを持ってしまうことを先生は心配してるんだぞ」

先生のその言葉に反感を抱いた。

歌手を夢見てどこが悪い？　アイドルに憧れてなぜいけない？

山村から転校してきた僕は、松本の中心にある学校の先生は偉いと思い込んでいたし、尊敬もしていた。でも公務員や会社員こそがまっとうな大人だと真顔で説教する先生に幻滅した。うちに下宿していた先生たちはこんなことを絶対に口にしない。S木先生なら「『あのねのね』おもしろかっただろ」と笑って口にするはずだ。僕らには無限の可能性があり、何かに憧れること、夢を持つことの大切さを山村のS木先生たちは教えてくれた。

担任の先生に反論したかったが、そこまでの勇気はなく、僕は唇をかんで説教の時間を過ごした。説教の最後に先生が「わかったな」と告げたとき、「はい」とは口にせず、口パクだけで返事をしたフリをしたのは、せめてもの僕の抵抗である。

なお、大人になって紀行作家になり、アウトドア業界でちょっぴり有名になった僕は、アウトドアズマンとしても活躍する清水国明さんとトークショーで同席する機会が3回あった。

校則を破って出かけた人生初のコンサートがあなたでしたとは、恥ずかしくていまだに口にしていない。

水俣の青い空

先生に見つかって叱られた「あのねのね」のコンサート以降も、僕は懲りることなくコンサートに出かけた。

初めてのライブで生演奏の臨場感と音の迫力にすっかり魅せられたし、「あんな大人になりたいと思われたら困る」と説教した先生への反抗心もあった。再びばれて先生に呼び出されたら「なぜいけないんですか?」と次こそは真っ向から反論してやろうと思っていた。

とはいえ、中学生ひとりで行くほどの度胸はない。高校生の兄が同伴のコンサートである。『学生街の喫茶店』をヒットさせたガロや『恋人よ』がヒットする前の五輪真弓、『白い冬』のふきのとうなど、アコースティックギターを奏でるフォークシンガーのコンサートへ次々と出かけた。

ビルに建て替えられる以前の松本駅の東南側には小さな音楽事務所があり、小規模の公演のチケットはそこで販売されていた。

松本市民会館の座席表が書かれた図が差し出され、空いている席を買うシステムである。コンピューターの予約システムなどない時代で、座席はすべて早い者勝ちだ。

いい席を確保するには発売当日の開店直後に行かなくてはならないが、学校がある僕らはそれができず、学校から帰ってから買いに行き、座席表を見て一喜一憂した。

いい席がとれることはあまりなかったが、海援隊と三輪車ともう1組（誰だったか思い出せない）の公演は前から3列目中央の席をとれて興奮した。

なんてラッキーなんだと思ったが、会場に出かけていい席がとれた理由に納得した。会場はガラガラで数えられる程度の観客しかいない。『母に捧げるバラード』をヒットさせた海援隊だが、それ以降はヒット曲に恵まれず、海援隊は低迷期に入っていた。

でも武田鉄矢の歌は胸に響いたし、曲の間に語る話もおもしろかった。僕は存分に楽しめたが、時間が押していたのか、途中で席を立つ観客が何人かいた。

するとステージ上の武田鉄矢が言った。

「終電の時間があるでしょうからどうぞ、気になさらずに、お帰りください。でも最後にどんな曲を演奏したのかだけは、残った人が帰った人たちに教えてあげてください」

その最後の曲は『水俣の青い空』だった。水俣病にかかった不運な女性の独白を『母に捧げるバラード』のように武田鉄矢がとつとつと九州弁で語る。

涙が出るほどすばらしく、僕は海援隊に魅了された。うちの担任の先生こそが、こういうコンサートに来て人生を勉強すべきだ、とも思った。

その後、武田鉄矢は映画『幸福の黄色いハンカチ』やテレビドラマの『3年B組金八先生』で再ブレークを果たす。それが身内のように感じられてうれしかった。

松本の祖母とのふたり暮らし

松本の中学校生活はバラ色だった。

友達に会うのが楽しくて、授業もクラブ活動も学校行事もおもしろくて、毎日胸を弾ませて学校へ通っていた。松本市内に暮らす利便性も享受して、不満のない生活を過ごしていた。

しかし松本の中学校に通いだして9ヶ月後。思わぬ事態へことが進んだ。わが家が松本市内から父の会社がある郊外へ引っ越すことになったのである。

父も母も詳しくは語らなかったし、僕も理由を探ろうとはしなかったが、父の経営する会社の雲行きが怪しくなりだしたのだろう。知人の運送会社の社長が豪邸を新築し、それまで住んでいた旧宅を貸してもらえることになったと母は説明した。

松本市内の家よりもずっと広くなるし、国道を走るトラックの騒音からも解放される。父の会社を手伝っていた母も通勤が楽になる。高校生の兄は電車で通学できるから問題ないとして、親の都合で申しわけないが、僕と小学校3年生の弟は2学期が終わったら郊外へ転校してくれ、と頼まれた。

中学生の僕には受け入れがたい相談だった。振り返れば、その頃の僕は反抗期だったのかもしれない。無理やり転校させたらこの子は精神が破綻する、とでも思ったのか、両親は対応策を考えてくれた。父の実家が松本駅の近くにあり、祖母がひとりで暮らしている。そこに居候させてもらおうか、と親は提案した。

願ってもない提案だった。肉親と離れてしまうけど、転校せずにすむ。むしろまだ中学2年生なのに家族と離れて暮らすなんて、大人っぽくてかっこいいとも思った。

こうして3学期から僕は祖母との暮らしがはじまった。

祖母とふたりきりの生活に不安はあったけど、祖母は面倒見がよくて優しかった。子供心に祖母は兄が好きで、次男の僕は愛されなかった印象を抱いていたが、そんなことはなかった。

夕食どき、祖母は昔の話を断片的に語ってくれた。父や叔母や叔父たちがどんな子供だったのかも、優しい目で語り、僕は祖母に対して親近感を持った。ひとつ屋根の下で暮らす家族なんだ、と思った。

親と離れた自由な生活はすこぶる快適だった。祖母は僕の部屋にいつでも好きなときに見ればいいと、白黒の小型テレビも置いてくれた。

おかげで親の前では観られなかった『イレブン・ピーエム』などのちょっとエッチな深夜番組も自由に観ることができて、僕は祖母との暮らしを謳歌した。

しかし、意志が強くない中学生の僕がきっちりと勉強して規則正しい生活を送れるはずもない。3学期の成績は急降下して、担任の先生から親が呼び出される事態となった。

再び転校生になる

3学期の成績急降下は、自分でもやばい状況だと思った。

このままでは高校進学にも悪影響を及ぼす。そう判断されて、僕は3年生に進級する4月から祖母と暮らした松本を離れて家族が暮らす郊外の中学校へ移ることになった。転校したくなかったが、仕方がない。成績を落とした自分のせいだ。それに親兄弟と離れて生活する寂しさも多少なりともあった。だから自分でも納得した転校であったが、割り切れない部分もあった。

そんな経緯の転校だったから、新しい中学校には希望を抱けなかった。

もともと山村の中学生だったくせに、6クラスある市内の中学校から3クラスだけの郊外の中学校へ移ることを都落ちのような感覚で受け止めていた。

その気持ちが僕の態度にどこかしら表れたのだろう。転校初日、僕は級友の誰からも声をかけてもらえなかった。その状況をつらいとも思わなかった。新しい友達なんてできなくていい。自分から頭を下げてなるものかとさえ思っていた。ふてくされた態度をとるかわいげのない転校生だったのである。

僕は前の学校の友達に無性に会いたくなった。

遠い場所に引っ越したわけじゃない。20分ほど電車に乗れば松本駅に行けるじゃないか。

そう気づいた僕は帰宅してすぐに前の中学校に向かった。兄は毎日電車で松本の高校へ通っている。自分も電車通学で前の中学校へ通えないかな、とも考えた。

中学校に着くと、校庭で部活をしていた友人が僕に気づいた。

「おーっ、サイトウ！」と笑顔で迎えられ、胸がキュンとなった。

自分はあんな田舎の中学校じゃなくて、この中学校の生徒なんだ。そう思ったが、友人の言葉に僕はショックを受けた。

「どうした？　何しに来たの？」

「いや、ちょっと……」

言葉に詰まった。頭から水をかけられた気分だった。友人はあたりまえのことを口にしただけだ。僕はこの学校を離れたのだ。近い距離だとはいえ、みんなと別れて新天地に向かった転校生じゃないか。自分の居場所はもうここにはない。

悲しかったけど、友人の言葉で目が覚めた。電車で家路につく頃には、覚悟が決まった。

翌日から僕は心を入れ替えて新しい中学校へ通った。級友に声をかけ、みんなの名前を覚える努力もした。

初日の態度がひどかったから多少の時間はかかったけど、次第に僕は新しい中学校に馴染み、気の合う友達もたくさんできた。

Y先生のスパルタ教育

二度目の転校だったから慣れがあったのかもしれない。新しい中学校に順応するまで、それほど時間はかからなかった。

山村の中学校から松本市内の中学校へ転校した1年前は、何もかもが違っていて驚きと戸惑いの連続だったが、松本市内から郊外への転校は環境の変化が少なく、違和感なく新しい中学校生活に入り込めた。

授業に関しても前の学校とほとんど変わらなかったが、決定的な違いがひとつあった。

担任のY先生である。

恰幅《かっぷく》がいい40代のY先生は英語の教師だった。僕が転入したクラスは昨年もY先生が担任だったから、僕以外の生徒はY先生に対する免疫ができていたと思うけど、初めてY先生の授業を受けたときは衝撃を受けた。

生徒全員が背筋をピンと伸ばし、両手を膝に置いて着席している。教室はシーンと静まり返り、先生が問題を出すと生徒たちは肘を曲げずにまっすぐ挙手をする。角度は垂直でなくてはならない。少しでも曲がっているとY先生は「なんだ、その姿勢は!」と怒鳴る。

どっきりカメラのように、転校生の僕をからかっているんじゃないかと最初の授業で思った。

でもそうじゃなかった。笑顔も冗談もなく、厳しく生徒を統率するワンマンのスパルタ授業がY先生のスタイルだった。

いま原稿を書いていて、あれは本当に起きたことだろうか？　と自分を疑ってしまうほどだが、生徒が授業中によそ見したり、おしゃべりをしたりすると、Y先生は容赦なく生徒の頭をゲンコツでど突く。宿題を忘れた生徒は教室の後ろで正座もさせられた。

いまの時代ならニュースになるはずだけど、Y先生は平然と生徒に体罰を加えた。それなのにY先生に対して意見する教職員や親はひとりもいなかった。

僕もY先生に逆らう気は起きなかった。

屈服したわけではないし、立ち上がる勇気がなかったのとも違う。こういう先生が現実に存在するんだ。こんな傍若無人《ぼうじゃくぶじん》な先生の授業を受けるなんて貴重な体験じゃないか、と自分に言い聞かせることで、受け入れることができた。それにいま振り返ると、Y先生の授業がそれほどいやなわけでもなかった気がする。英語に興味があったこともあるけど、Y先生の授業は眠気を感じることなく、勉強に集中できた。英語のテストは前の中学校以上の成績を残せた。

体罰が日常だったY先生の教育方法は、いまの時代に存在してはならない。でもY先生の揺るぎない威厳は、この時代にこそ必要ではないか。

Y先生ならネットで誹謗《ひぼう》中傷されようが、まったく動じずにわが道を進むことだろう。その勇気を見習いたい。

エンジンに魅せられて

技術・家庭科の授業が好きだった。僕の中学校時代は、男子は木工や機械などを学ぶ技術科、女子は被服や食物などを学ぶ家庭科というように分かれていたから、正しくは技術科の授業が好きだった。

技術科の授業の内容は学年が進むにつれて高度になる。

中学1年では大工道具を使った木工を、中学2年ではハンダゴテを使ったラジオなどの電気製品工作を、そして中学3年では内燃機関の仕組みを学んだ。

4サイクルエンジンは「吸気→圧縮→燃焼→排気」が繰り返されて回転する。ピストンが上下したり、弁が開閉したりする様子が見える単気筒のカットモデルで学んだが、あと1年でオートバイの免許を取得できる年齢だったから、男子生徒のほとんどが4サイクルエンジンの仕組みに目が釘付けになった。「吸気→圧縮→燃焼→排気」を理解できない生徒はいなかった気がする。

カットモデルで理論を学んだら次は実践編だ。

班に分かれて実際にガソリンエンジンを動かす。学校の備品の多くはホンダのエンジンだったが、僕の班はなぜかカワサキのエンジンがあてがわれた。それが誇らしかった。カワサキはスクーターや50ccの小排気量モデルは生産しないオートバイメーカーで、「男カワサキ」として硬派なイメージが若者に定着していたのだ。

キルスイッチを入れ、スターターの紐を強く引く。「ドゥルルルル……」とエンジンが始動したときは胸が躍った。アクセルを開くと排気音を轟《とどろ》かせてエンジンは回転数を上げる。カワサキのエンジンの音にも振動にも魅せられて、僕らはアクセルを操作した。

「やっぱ、ＣＢよりＺだぜ！」とカワサキ班の僕らはホンダの班を挑発した。ＣＢはホンダのオートバイの型番で、Ｚはカワサキのオートバイの型番である。最後のアルファベットを型番に使うあたりも、カワサキはかっこいいと僕らは思っていた。

時は流れ、いま僕が暮らす八ヶ岳山麓の家のグランドフロアにはカワサキのオートバイが２台並んでいる。

６５０ccと２５０cc。どちらのオートバイも冷却フィンのついた空冷エンジンの存在感が際立つトラディショナルなモデルだ。

わが子もカワサキのオートバイに乗っているが、若者としては少数派といえるだろう。若者のクルマ離れ、オートバイ離れの動きが加速したのは、中学校の授業でエンジンの仕組みを学ばなくなったからではないだろうか。

技術科の授業が好きだった僕は期末テストの成績もよかったのに、なぜか通知表の評価は低かった。カワサキのエンジンを夢中でぶん回した授業中の態度が先生に悪印象を与えたのだと僕は思っている。

松本の普通高校に進学

近所に住むDくんは、中学校を卒業したら遠い県にある全寮制農業高校に進学する。自分が学びたい勉強をそこなら学べると、自らの意志で遠方への進学を決めた。

見た目は子供っぽいDくんだけど、大人っぽい立派な選択だと思う。

45年前の僕は明確な進路が定まっていなかった。

中学卒業後は普通科の高校へ進学するものだと思い込んでいた。

志望校を決めるのは自らの意志ではなく定期試験であり、成績の順位が何番から何番までは○○高校というように決まっていた。それが既定路線であり、敷かれたレールの上をただ進むだけの進学に疑問も不満も感じていなかった。

僕の成績は安定していなかった。トップの高校に余裕で入れる順位のときもあれば、そうでないときもあった。担任のY先生の評価は「がんばれば○△高校に入れるが、確実に入るなら△○高校」だった。

トップの高校に進学したい思いも多少はあったけど、僕は確実に入れる2番手の高校を選んだ。

2歳上の兄がその高校に通っていたことも関係ある。とはいえ、兄と一緒に高校へ通いたかったわけではない。兄は楽しそうに高校へ通ってクラブ活動にも力を入れていたし、うちに遊びに来る兄の友達もいい人ばかりで、あの高校なら自分もバラ色の学生生活を過ごせそうな気がしたのだ。
その選択は正解だったと思う。

僕と同じ高校を志望する中学校の同級生は、自分と気が合う友人ばかりだった。

そこそこ勉強ができて、スポーツが好きなタイプが多かったように思う。さらに1年前に通っていた松本市内の中学校の進路情報を知って僕はますますうれしくなった。あちらの中学校でも気の合った友人が僕と同じ高校を志望していたし、密かに恋い焦がれていたクラスの女子も同じ高校を志望していることがわかったのだ。

中学生の僕は思った。進学とは気の合う仲間と巡り合うチャンスが増えることなんだ、と。高校を卒業してさらに大学に進めば、自分と同程度の能力があって似た思考の友人が日本全国から集まる。大人になればなるほど人生は楽しくなっていくんじゃないか。未来は明るいと、単純な僕は考えた。

志望校に合格した僕は、お祝いとして親から腕時計を買ってもらった。

当時の入学祝いは中学校が万年筆、高校では腕時計が一般的だった。

買ってもらった腕時計は自動巻きモデルだ。当時の腕時計は電池式のクオーツではなく、自動巻きが主流だった。デザインは平面ガラスではなく、当時流行ったクリスタルガラスを多面カットしたセイコーの腕時計で、文字盤は青く輝いていた。

そのキラキラした腕時計を身につけ、僕は松本の高校生になった。

そのとき僕は ②

1973
昭和48年
ノストラダムスの大予言
「1999年7月、空から降ってくる恐怖の大王によって世界は滅亡する」という説を信じる子と、信じない子にクラスが二分された。僕は信じたくない子だった。

1973
昭和48年
ブルース・リー大人気
『燃えよドラゴン』がヒットして、クラスの男子たちは「アチョーッ!」と叫びまくった。僕は映画館の中劇で観たけど、同時上映された『パピヨン』のほうに夢中になった。

1973
昭和48年
『パンチDEデート』放送開始
桂三枝と西川きよしの掛け合いが評判の恋愛バラエティー番組。桂三枝の「オヨヨ」のギャグを僕らは真似した。大学生になったら番組に出演したいと僕は夢見ていた。

1974
昭和49年
ユリ・ゲラー来日
スプーン曲げがクラスで流行ったが、力まかせで折り曲げている奴らばかりだった。コックリさんも流行ったけど、嘘っぽく思えて僕は本気になれなかった。

1974
昭和49年
佐藤栄作ノーベル平和賞
総理大臣はずっと佐藤栄作だったから、天皇陛下と同じく、総理大臣も固定されていると小学生のときは思っていた。好き嫌いはともかく、ノーベル平和賞には驚いた。

1975
昭和50年
貴ノ花初優勝
細身で粘る相撲をとる貴ノ花は大人気だった。僕はそれほど相撲に興味がなかったけど、貴ノ花の相撲はずっと見ていた。北の湖を破って優勝したときは胸が震えた。

1975
昭和50年
吉田拓郎つま恋コンサート
かぐや姫とともに開催した野外オールナイトコンサートはNHKのニュースでも流れた。兄とともに僕も行く気満々だったが、長野県ではチケット入手が困難だった。

3 高校時代

新入生の通過儀礼

高校の入学式のあとは、対面式や応援練習など、先輩たちの迫力に圧倒される行事が続いた。伝統的に続いているそれらの行事は、新入生を温かく迎える雰囲気がなく、先輩たちが新入生をビビらせる儀式に思えた。

対面式では僕ら新入生が体育館に入場すると、待ち構えていた2年生と3年生に大歓声で迎えられた。生徒会長のあいさつは「ようこそ、1年生のみなさん」ではなく、「この対面式を終えなければ、我々はおまえたちを〇〇生として認めない」という宣言ではじまった。

嘘みたいな話だが、新入生代表が前に出てあいさつすると彼に向かって生卵が投げられ、彼の学生服は卵まみれになった。そのあと何が行なわれてどうなったかあまり覚えてないが、上級生の迫力に圧倒されっぱなしの対面式だった。

新入生を校庭に整列させて軍隊的な指導で応援歌を覚えさせる応援練習も恐怖だった。目立つ新入生は応援団員たちが取り囲んで集中的にビビらせる。のちに友人となるカーリーヘアのミュージシャン、Y野井は見た目が派手だから集中攻撃を浴びせられた。

でも1週間続いた応援練習の最後に、怖かった応援団長たちが『うさぎのパンツ』や『トラのパンツ』のダンスを披露するなど、温かみのある余興にホッとさせられた（2年後に生徒会役員になった僕は指導する側になって応援練習の醍醐味を満喫することになる）。

生徒総会にも驚かされた。全校生徒が集う体育館には先生は立ち入らず、生徒の自治にまかせる。初めての生徒総会では生徒会長が壇上に立つと「生徒会長のリコールを請求する」と会場から数人が立ち上がり、リコール是非の徹底討論が熱く展開された。荒れた国会中継をライブで眺める感覚だった。さらに勝ち気な女子生徒が「コンパで飲酒はやめるべきです」と意見したら、長髪で細身の男子生徒が前に出てきて「男は飲まなきゃならねえときがあるんだよ」と答えて男子生徒の拍手喝采を浴びた。おまえは高校生か！　といまなら笑ってしまうけど、そんな大人びた先輩たちに度肝を抜かれたし、憧れもした。

飲酒が問題にされた地域のコンパも強烈だった。出身中学校ごとに公民館などに集まって新入生歓迎コンパを開くのだが、そこでも新入生は先輩のきつい洗礼を受けることになる。僕の地区は真っ暗な部屋で先輩が調理した中身が見えない闇鍋のカレーが恒例になっていた。

そのカレーは異様な臭いを放っていた。それもそのはず、臭いの正体はあの正露丸である。先輩いわく「腹をこわさないように正露丸をまるごと入れておいた」とのこと。正露丸以外にタバスコが1本入っていて、拷問のようなカレーを僕ら1年生は必死で食べた。

でもいじめの要素はまったくなく、愛情あるいたずら心が根底にあった。だから、僕らが上級生になったときも同じように1年生を歓迎した。破天荒な、良き時代だったのだ。

母と兄と僕の恩師

高校の先生はツワモノぞろいだった。

生徒たちが個性的な先生のイメージをつくりあげることに長《た》けていたのかもしれないが、実際に癖が強い先生が多かった気がする。

新卒からこの高校に赴任して何十年も居続けている化学のモンジューローや、遺伝子が得意で別の生物の先生が受け持つクラスとテストの平均点にいつも差が出るカンチョー、生徒の顔を見ずにマイペースで黒板に数式を書いて授業を終わらせるサブチャンなど、生徒たちは親しみを込めて先生に愛称をつけていた(もちろん、先生に向かって愛称で呼ぶことはしなかった)。

癖はそれほどでもなかったけど、強く印象に残っているのは、英語のM先生だ。僕と名字が同じだから、元号と同じ名前のほうを僕は実際に呼んでいた。

当時50代だったはずだが、少年みたいな笑顔のM先生は若々しくてスマートだった。僕は英語が得意だったからそこそこの成績を残していたが、あるとき休憩時間にM先生は僕にこっそり言った。

「君のお母さんは英語がよくできたんだぞ」

M先生は母の恩師でもあるのだ。僕と同じくM先生に英語を習った2歳年上の兄も同じことを言われて、プレッシャーを感じたそうだが、母の英語の成績がよかったのには理由がある。当時は女子校だった松本市内の高校に母は通っていたが、そこへ新卒で赴任してきたのが若きM先生である。母の初恋の人だったようで、M先生に気に入られたいがために、母は一生懸命英語を勉強して好成績を残したのである。

M先生とは高校卒業以降、一度も会っていないが、偶然にも近況を知る出会いがあった。

僕は山岳雑誌で山小屋を訪ねる連載をしており、その取材で北アルプスの船窪小屋を訪ねた。船窪小屋は80歳を越える夫婦が温かくもてなしてくれる、アットホームな雰囲気で人気の高い山小屋だ。でも急峻《きゅうしゅん》なきつい登山道を登らねばたどり着けないハードな山小屋でもある。

女将《おかみ》さんに「元気に山小屋を続けているなんてすごいですね」と告げたら、女将さんは「私より年上のM先生が毎年登ってきてくれるんだもの。私なんかまだまだよ」と語った。

M先生なんて、あまりない名前だ。ひょっとして……と思ったら、ビンゴ！　だった。

女将さんが撮った写真を見せてもらったら、M先生は白髪になっていたけど僕が知るM先生そのままだった。僕はその写真をデジカメで撮って山を下りた。

後日、母のもとを訪ねて「この前取材した山小屋には、こんな人が毎年登ってくるんだって」と、デジカメのモニターを母に見せた。

母は目を丸くして息を呑んだ。

その頬が少し赤らんだように見えたのは、気のせいではないと思う。

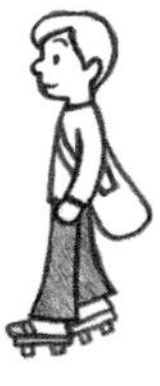

高校の部活

高校に入ったら運動系のクラブに入ろうと考えていた。

運動能力に長《た》けた生徒ではなかったが、仲間と汗にまみれてスポーツに打ち込む充実した高校生活を送りたいと、新入生の僕は夢見ていた。

どの部に入るか迷う時間は胸が弾む楽しいひとときでもあった。とはいえ、王道というべき野球部、サッカー部、バスケットボール部などは最初から除外（その年のわが校のサッカー部は全国高校サッカー選手権大会でベスト8に入るほど強かった）。高校に入ってからその競技をはじめる未経験者の部員が多い運動部に焦点を当てた。

候補に考えたのはラグビー部と硬式テニス部と山岳部だ。

熱血青春ドラマに感化されたのでラグビー部には憧れたが、練習を見て体格的に無理だとわかって断念。ジミー・コナーズやビョルン・ボルグの活躍に魅せられた時代だったから硬式テニスもかっこいいと思ったが、軟式から転向する新入部員が多いことを知って断念。山村育ちで山を歩くのが得意だったから山岳部なら……と思ったが、足腰を鍛えるために重い荷物を背負い、第2体育館の裏の非常階段を何度も昇って降りる練習を見て入る気がなくなった。楽しいクラブ活動に思えなかったのだ。

その山岳部の練習を見学して帰るとき、第2体育館で部活をしていた兄に声をかけられた。

「部活、決めたか？　決まってないなら剣道部に入れ」

兄は剣道部だったのである。

「おーっ、マサキ。一緒に剣道やろうぜ」

他の剣道部員たちからも声をかけられて僕の胸はときめいた。3年生の部員は兄の友達であり、僕が入学する前から家に来ていた顔見知りの先輩である。

最上級生たちに名前を呼ばれて勧誘されたことで、僕は自分が求められている人間に思えて恍惚《こうこつ》感に浸った。

もともと剣道部は候補に考えていた。高校に入って初めて剣道に接する部員もいる。兄がそのひとりだ。

兄ができるなら自分にも、と考えたが、その兄が所属する部である。弟と一緒の部活は兄がいやがると思って候補からはずしていたが、兄から直接勧誘されたことで、決心がついた。

その日から僕は兄を「サイトウさん」と呼び、敬語で話しかけるように心がけた。

兄も僕を新入部員として接するように努めた。

初めて剣道を習う他の新入部員とともに、僕は兄から稽古をつけてもらったが、そのときの兄はやたらと怖くて厳しかった。それは僕を誘った兄の覚悟の表れだったと思う。

でも練習が終わって家路につくときの兄は、これまで以上に優しかった。

剣道部の夏合宿

兄と一緒の剣道部生活は長くは続かなかった。兄たち3年生は県大会に進めなかったので、夏が訪れる前に3年生は引退した。

最後の大会で敗れたとき、3年生は全員が涙を流して泣いた。

大人びて見えた3年生の泣く姿が、僕には感動的だった。自分も最後の大会で負けたときは涙を流すのだろうか。仲間とともに泣いて締めくくれる充実した部活を過ごしたいと、そのときは強く思った。

3年生の引退と同時に2年生の新部長に引き継がれ、1年生と2年生の部活がスタートした。やがて夏休みに入り、恒例の夏合宿の日程が決まった。学校の体育館に寝泊まりして剣道の練習に打ち込む数日間の合宿である。

僕ら1年生は落ち着かなかった。夏合宿の初日の夜は先輩たちが1年生の誰かを羽交い締めにしてパンツを脱がし、チンチンにサロメチールを塗ることが剣道部の夏合宿の恒例行事になっていたのだ。

そして迎えた夏合宿の初日。

夕食が終わると僕ら8人の1年生はそれぞれが考案した防御策を施した。僕は簡単に脱がされないようにきつめのジーンズをはいて、ベルトを締めてそこに南京錠をかけた。他の1年生も同じような対策を施したが、N田くんの姿を見た僕らは笑ってしまった。

N田くんはパジャマ姿なのだ。

「パジャマに着替えなきゃ僕は寝れないんだ」とN田くんは言う。

ターゲットはN田くんで決まりだな。自分はやられなくてすむ。

僕らはほくそ笑んだが、無防備の奴を攻撃してもおもしろくないのが人間の心理である。就寝時刻となって全員が布団に入って数十分後、部長の「N田をやるぞ！」の声で先輩たちはN田くんの布団に飛びかかった。

僕ら1年生はみんなで結束してN田くんを守ろうと先輩たちに近寄った瞬間、部長の「よし。A木が来たぞ！」の掛け声で標的がA木くんに替わった。

先輩たちは最初からA木くん狙いだったのである。

6人の先輩に押さえつけられたA木くんはパンツを脱がされ、サロメチールをたっぷりと塗られた。その洗礼が終わるとA木くんは外の水場で股間を洗い、体育館の片隅にノーパンで腰を下ろして「あつい、あつい！」とうちわで股間を仰いだ。その背中に哀愁を感じたものの、犠牲にならなかった僕らは安心して眠りについた。

その翌年の合宿では僕らが剣道部の伝統を受け継いだが、喜々として後輩のパンツを脱がせてサロメチールを塗りたくったのは、もちろんA木くんである。

下駄を鳴らして僕が行く

わが高校には制服がなく、学校に何を着ていこうが自由だった。髪型に関しても同様で、パンチパーマもいれば、髪を肩まで伸ばしたロン毛の男子生徒もいた。

校則が厳しかった中学校から解放された1年生は、1学期のうちは上級生との見た目のギャップが大きいが、夏休みが終わる頃には自分の好みや流行を反映したファッションを楽しむようになる。

僕も当時の男子生徒の多くがそうだったように、まずは髪を伸ばした。服装は当時の若者の多くがそうだったように、Tシャツにベルボトムのジーンズというオーソドックスな組み合わせを好んで着用した。

でも背伸びをして自己主張したがる年齢である。人と違ったオリジナリティーを出したいと考えた僕は、生徒手帳の校則を目にして「これだ!」と思った。

サンダルや雪駄《せった》の通学は禁じるが、下駄はその限りではない、と書かれてある。

なぜ下駄だけが許されていたのか、その理由はわからないが、吉田拓郎が作詞作曲して、かまやつひろしが歌った『我が良き友よ』がヒットした時代だ。その歌の世界観に感化されて、下駄を鳴らして歩くバンカラな男に漠然と憧れていた。

うちの高校もバンカラ的な校風だったし、僕は裸足で稽古をする剣道部員である。下駄を愛用すれば自分らしさを主張できると考えた。

伊勢町の履物店で下駄を買い、さっそく下駄で通学をはじめた。

わが家から最寄り駅までが約１km、松本駅から高校までが約２km。初日はその距離がとても長く感じた。

鼻緒が親指と人差し指の間に食い込む。擦れて皮がむけそうになるし、クッションがないから足の裏も痛い。おまけに滑りやすくて効率よく歩けない。

でも苦痛を顔に出さず、平然と歩いてこそバンカラだ。くじけてたまるかと、カコーン、カコーンと音を鳴らして通学路を歩いた。学校に着いて上履きサンダルに履き替えたときはホッとした、これぞ本物の下駄箱なんだと、下駄箱に収まるわが下駄を誇らしく思った。

友人も「さすがは剣道部だな」とおだてたものだから、僕は我慢して下駄を履き続けた。１週間ほどすると足が下駄に馴染んだし、効率のいい歩き方も身についた。

下駄履きの生徒が他にいなかったので、僕はそれなりに目立っていたと思う。自己顕示欲も満たされ、ずっと下駄履きで通そうと思ったが、秋が深まる頃、足の指先にかゆみを感じた。

霜焼《しもや》けである。でもバンカラなんだからと、やせ我慢して裸足で下駄を履き続けたが、かゆみに耐えられなくて下駄通学をあきらめた。

自己主張を続けるには、それなりの代償が伴うことを下駄が教えてくれた。

私鉄電車と松本駅の西口

松本の郊外に住んでいた僕は、小さな私鉄電車で高校に通っていた。北アルプスの登山基地でもある地名が路線名になっている鉄道である。

自宅の最寄り駅から松本駅までの距離は約10㎞。その区間に10の駅がある線路を私鉄電車は30分近くかけて走る。朝の通勤通学の時間帯は3両編成になることもあるけれど、通常は2両編成の小さな電車だ。

その頃の電車はよく揺れた。乗客が少ない昼間は車体が軽いせいか、揺れが特にひどく、吊り革が荷物棚のバーに当たってガチャン、ガチャンと音を立てて走っていた。

自慢できる電車ではなかったけど、松本駅から乗車した大学生らしき登山者たちが「おい、もう隣の駅に着いたぞ。とんでもない田舎の電車だな」とあざ笑ったときは腹立たしかったし、彼らに対して何も言えなかった自分がくやしかった。

松本駅から高校までの距離は約2㎞。下駄履きの通学を断念してからは松本駅から自転車で高校まで通学した。歩けば30分ほどかかるが、自転車なら10分程度で高校に到着できるのだ。駅から歩く場合は自宅の最寄り駅を7時40分台に出る電車に乗らなければならないが、自転車だと8時過ぎの電車でも始業時刻に間に合う。少しでも長く寝ていたい高校生にとって朝の15分ちょっとの時間はとても貴重だったのである。

当時、松本駅の西口には自転車の預かり所があった。公共施設ではなく、西口正面にある民家が商売として営んでいた預かり所だ。

そこは100台近い自転車を預かっていたと思う。年配の夫妻が朝は僕らの自転車を家の前にずらりと並べ、夕方は学校から帰ってきた僕らの自転車を受け取って広い土間や車庫に保管する。月いくらだったか覚えてないが、お小遣いでまかなえる程度の料金だったはずだ。

学校の帰りに自転車を預けて、西口の改札口を抜けるとそばつゆの香りが鼻をくすぐる。西口近くのホームには立ち食いそば屋があったのだ。

部活を終えて腹を空かしている高校生には罪な香りである。立ち食いそば屋があるホームから発着している私鉄電車は運行ダイヤがまばらだったから、電車を1本乗り過ごしたときは、そばつゆの香りを嗅ぎつつ、空腹に耐えて次の電車を待たねばならない。寒い冬はそば屋から立ち上る湯気がさらに食欲をそそる。

夕食を用意して待っている母には申しわけないが、誘惑に負けてかけそばを口にしたことが何度かある。そのうまさは格別だった。

たまに東京で駅そばを食べるけど、あのときの西口の立ち食いそばよりもおいしい駅そばに巡り合ったことはない。

本当の実力テストとは

「やばい。俺、なんにも勉強してねえよ」と、テスト直前になると口にする級友がいた。

初めてその言葉を耳にしたときは、自分と同じ奴がいるんだ、と仲間意識を感じたし、安心もした。でもそうじゃなかった。その級友は常に成績が学年トップレベルだった。よほどの天才でないかぎり、勉強せずに成績上位でいられるはずがない。

僕も「なんにも勉強してねえよ」とテスト直前に漏らしたことがあるが、僕の言葉には偽りがなかった。勉強をまったくせずにテストを受けたことが何度かある。

最初は1年生の夏休み明けの実力テストだ。わが高校は中間テストと期末テスト以外に実力テストがあり、僕はまったく勉強せずに試験に臨んだ。実力テストの内容を理解してなくて、知能検査のように、自分の真の実力を測るためのテストだから事前に勉強するのはルール違反だと思い込んでいたのだ。

結果は360人中340番程度になり、僕は母親とともに学校から呼び出しをくらった。中間テストも期末テストもそこそこの成績だったのに実力テストで急降下したのは、夏休み中に何か問題が生じたのでは、と担任の先生が心配してくれたようだ。

自分の勘違いを告白することが恥ずかしくて僕は適当に言葉を濁し、放任主義の母親は「夏休みはしっかり遊んでましたから」と答えて先生をあきれさせたが、その頃から僕の成績は低迷期におちいり、もとの順位に戻ることはなくなった。

つきあう友人たちも成績を気にするタイプではなく、学力的には劣等生といえる仲間が多くなった。彼らの高校生活を弁護するなら、勉強よりも大事なことが世の中にある、それがなんだかわからないけど、人間は試験の成績で評価されるべきではないと、友人たちは（もちろん僕も）信じていた。きちんと試験勉強をしているのに「なんにも勉強してねえよ」と偽る奴よりも、自分たちのほうが人として正しいと開き直っていた。

自分の成績が300番台になったことを恥じてなかったとは言い切れないけれど、その成績でも胸を張って高校生活を送っている学友に対しては尊敬の念を抱いた。うちの高校は定期試験で平均点の半分以下である赤点を複数回とると留年させられる制度があり、1学年上だった先輩が同級生にいた。彼は1学年下の僕らに混じって堂々と高校に通い続けた。「俺は『750ライダー』の早川光と同じだからさ」と、『週刊少年チャンピオン』で連載していた人気マンガ（主人公たちは何年経っても高校2年生のままだった）を引き合いに出して僕らを笑わそうとした。

あれから長い歳月が流れ、僕らの世代は定年退職を迎える年頃になった。

成績上位者も300番台の生徒も落第生徒も、それぞれに充実した人生を過ごしてきたはずだ。勉強よりも大事なことが世の中にはあると、いまなら自信を持って言える。

モーリス持てば……

フォークソングが流行った70年代、男子高校生の3分の1くらいはギターが弾けたと思う。

山村で暮らしていた頃、うちに下宿していたS木先生もギターを弾いていた。2階の部屋で窓辺にもたれてギターを奏でるS木先生は絵になっていた。S木先生に感化されてギターを弾きはじめた兄はすぐにコードを覚え、吉田拓郎の歌を弾き語りするようになった。

僕もS木先生にギターの弾き方を教えてもらったが、兄のようには上達しなかった。手が小さくてコードをうまく押さえられなかったため、まともな音を出せなかったのだ。

しかし高校生になると体が成長したし、ギターが弾けたら女子にモテるかも、の思いから一気に上達した。兄のお下がりのギターを持てたことも、上達を後押ししたと思う。

当時はスチール弦のアコースティックギターをフォークギターと呼んでおり、廉価版ではヤマハとモーリスに人気が二分されていた。世界最大の総合楽器メーカーであるヤマハと「モーリス持てばスーパースターも夢じゃない」とラジオ放送のCMでかまやつひろしや谷村新司が謳《うた》っていたモーリスだ。

僕のギターは後者だった。兄のお下がりだから自分で選んだわけではないが、あらゆる楽器を生産するメジャーなメーカーに対する反骨心もあったので、ギター専門メーカーのモーリスに肩入れしていた。のちにモーリスが松本市のメーカーであることを知り、わがギターに一段と愛着を感じるようになった。

ギターが弾けるといっても、コードを押さえてピックで弦をジャンジャカ揺さぶるか、アルペジオを奏でる程度である。書店には歌詞にギターコードを記したソングブックがたくさん売られていて、そのとおりにコードを押さえてリズムをとれば、それっぽく聞こえた。

自分の思いどおりに指が動いて、歌の雰囲気が出たときはうれしくて、勉強そっちのけで弾きまくった。

それで歌がうまければいいのだが、僕は音痴で人に聴かせられるレベルではなかった。

そこでひらめいたのがハーモニカである。

吉田拓郎もボブ・ディランもホルダーにセットしたハーモニカを吹きつつ演奏する。顔の前にホルダーがある姿がかっこよく見えたし、口にくわえれば歌わずにすむ。

ギターを弾きながらハーモニカを吹くのはむずかしいように思えるが、やってみるとそうでもなかった。歌いながら弾く感覚とそれほど変わらない。音階を間違えても息をスーハーしてハーモニカを奏でればかっこよく聞こえる。

歌わないスーパースターをめざして、僕は毎晩ハーモニカとギターを練習して、そこそこのレベルに達した。

それを人前で披露する機会は一度もないまま、終わってしまったが。

スモーキン・ブギ

初めてタバコを吸ったのは、中学3年の夏だ。

仲良くなった同級生のO沢くんの部屋へ遊びにいったとき、O沢くんは慣れた手つきでタバコに火をつけて、「ほら」と、喫煙があたりまえの雰囲気で僕にタバコをすすめた。

未経験だった僕は怖かったし、未経験者であることが恥ずかしくて「今日は風邪をひいてて、喉の調子がよくないから」と、そのときは断ったが、次に訪問したときは同じ言い訳ができず、勇気を出して吸ってみた。

むせかえった。喉は苦しく、頭がクラクラした。O沢くんは僕が初体験であることをわかっていたのだろう。でも笑ったりはせず、僕の隣でタバコを何本も吸った。

それ以降はタバコを吸う機会がなかったが、高校に入ったら環境が変わった。

当時は酒とタバコが大人の男の証しであり、背伸びしたがる男子高校生はタバコに手を出した。不良になれないけど不良に憧れる生徒が多かったと思う。

僕もタバコに手を出した。喫煙する男たちの姿に憧れていたからだ。

ちょっとアウトローなかっこいい男たち、俳優だとスティーブ・マックイーンやジャン＝ポール・ベルモンド、ミュージシャンだとボブ・ディランやキース・リチャーズ、日本の俳優だとショーケンや松田優作など、彼らがタバコを吸う姿やタバコを口にくわえた姿がかっこよくて、その姿をイメージしてタバコを吸った。少年時代に影響を受けたS木先生の喫煙姿も脳裏に焼きついていたかもしれない。

少し背を丸めてくわえたタバコを手でかざしてマッチを擦《す》る。タバコに火がつくと眉間《みけん》にしわを寄せて煙を吐き出す。田舎の童顔の高校生がそんなスタイルをとってもさまになるはずはないのに、そうやってタバコを吸っているうちにタバコが癖になり、やめられなくなった。

兄もタバコを吸っていたけど、母は僕ら兄弟を叱ったりしなかった。高校1年生の誕生日には灰皿をプレゼントされた覚えがある。おおらかな母親だったのである。

僕が吸っていた銘柄は当時150円のセブンスターだった。先輩からは受験生になったら120円のハイライトを吸え、と言われた。そのココロは「h:i—l:ite（入りてえ）だから」とのことだ。

その後はマイルドセブンを吸うようになり、高校卒業後の2年間の浪人時代は1日1箱程度を吸っていたが、大学に入ってすぐにタバコをやめた。

大学生になって旅に目覚めた僕は、旅の資金を捻出するために、お金の節約を目的に禁煙したのだ。僕にとって旅はタバコ以上に魅力的で、旅に出るためなら好きなタバコもやめられた。

60年の人生で喫煙時期が16歳から20歳まで、という同年代の男性はそれほど珍しくないと思う。

違いがわかる男

タバコの味を覚えた高校時代にコーヒーのおいしさも知った。

それまでは砂糖とミルクを入れたインスタントコーヒーを飲んでいたが、タバコと同じく、苦みばしった大人の男に憧れてブラックのコーヒーを飲む努力をした。

こんな苦い飲み物のどこがおいしいんだ？　と最初は思ったが、薄めて飲んだら飲めるようになり、次第に苦みが癖になって、コーヒーが好きになった。高校生になって子供から大人の味覚に変化しつつある年頃だったのかもしれない。

愛飲したコーヒーは「ダバダー、ダバダー」のCMソングで有名な『違いがわかる男』のネスカフェ・ゴールドブレンドだが、やがてコーヒー豆を挽いて淹れる本格コーヒーに移行した。

父がお歳暮か何かでドリップコーヒーのセットをもらったことがきっかけだった。父は酒と日本茶しか飲まず、コーヒーを好まない男だったので、僕がそれを譲り受けたのである。

マニュアルどおりにペーパーフィルターをセットして淹れたら、すっきりと飲みやすいコーヒーに仕上がって感激した。香りもインスタントのコーヒーとは違って、これこそが『違いがわかる男』のコーヒーだと思った。

僕は貯金を下ろして手動のコーヒーミルを買った。豆を挽くときのガリガリとした音も感触も心地よく、挽き終えた直後の粉の香りもたまらなくてコーヒーにのめり込んだ。

コーヒーミルの次に凝り出したのは、コーヒー豆だ。松本城の近くに同じ姓のコーヒー店があり、その店では何種類ものコーヒー豆が売られていた。

お年玉を注ぎ込んだから冬だったと思う。その店でコーヒー豆を7種類と、コーヒー専用の保管ケースも7個買い、ブラジル、コロンビア、キリマンジャロ、モカ、マンデリン、ガテマラ、ブルーマウンテンの豆をそれぞれのケースに入れて部屋の棚に並べた。

そして月曜日はモカ、火曜日はブラジル、水曜日はキリマンジャロというように、曜日ごとに淹れるコーヒーを変えた。コーヒー専門店が『本日のコーヒー』をメニューに掲げる感覚で、毎日違うコーヒーを楽しもうと考えたのだ。

週末はスペシャルデーだ。他の豆よりも倍近く高価なブルーマウンテンを淹れ、それぞれの香りを味わい、『違いがわかる男』としてコーヒーを楽しんだ。

ある週末、ブルーマウンテンを淹れて飲んでいたら兄が「ブルーマウンテンは特別にうまいだろ」と言ってきた。

顔がにやついていたから何かあるな、とは思った。その何かがわかったのは、次の週末だ。兄はブラジルとブルーマウンテンの豆をこっそり入れ替えていたのである。

それがトラウマになっているわけではないが、違いがわからない男の僕はストレートのコーヒーよりも、ブレンド豆のほうが好みである。

コーヒーもう1杯

吉田拓郎のファンだった僕は、吉田拓郎が影響を受けたボブ・ディランにも興味を持ちはじめ、やがてボブ・ディランに強く惹かれていった。

タバコやブラックのコーヒーと同じく、最初は良さがわからなかったが、繰り返し聴いているうちに独特なしゃがれ声と曲調が癖になった。誰にでも好かれてメロディーも美しいビートルズとは異なる、アウトロー的な音楽や生きざまも刺激的だった。

僕が高校3年生のとき、ボブ・ディランは初来日を果たす。

日本の音楽史に刻まれるであろうコンサートに自分も関わりたくて、僕は東京で暮らす大学生の兄に公演のチケットを頼み、学校を休んで上京して武道館公演へ出かけた。それほどまでにボブ・ディランのファンになった。

一般的には『風に吹かれて』や『ライク・ア・ローリングストーン』などが代表曲とされているが、マイベストアルバムは僕の高校時代に発表された『欲望』だ。

大好きなレコードを傷つけたくなかったから、カセットテープに録音して繰り返し聴いた。高校時代に一番聴いたアルバムだと思う。

冤罪《えんざい》で投獄された黒人ボクサーの無実を訴える『ハリケーン』や、マフィアの追悼ソングである

『ジョーイ』など、力強いプロテストソングに心を揺さぶられたが、僕の一番のお気に入りはA面4曲めの『ワン・モア・カップ・オブ・コーヒー』だ。

スローなバラード調の曲で「旅に出るからコーヒーをもう1杯くれ」とボブ・ディランは歌う。哀愁を帯びた編曲にも、鼓舞される歌詞にも魅せられて何度も聴いた。コーヒーが好きで、旅に憧れていた僕は自分のテーマソングにしようと思った。

自分の部屋で『欲望』をかけながら豆を挽いてコーヒーを淹れる。淹れ終わる頃にアルバムは4曲めの『ワン・モア・カップ・オブ・コーヒー』がかかるので、それに合わせて淹れたてのコーヒーを飲んで、自分を鼓舞する。

僕にとってコーヒーは苦い飲み物ではなく、香りと優雅な時間と雰囲気を楽しむものだった。大人の世界に憧れる生意気な高校生はボブ・ディランの曲に耳を傾け、タバコも吹かして至福のコーヒーブレークを楽しんだ。

時は流れ、わが妻は八ヶ岳山麓で小さなカフェを営んでいる。

オーナーである僕のこだわりとして、1杯だけのコーヒーは提供していない。ひとりで来店しても2杯分のコーヒーが入った1ポット単位でオーダーを受けている。

コーヒーをもう1杯楽しむ時間と心のゆとりを楽しんでもらいたいからで、苦みが強くてもえぐみがなく、冷めてもおいしく飲める特選のブレンドを提供している。その根底にある思いは、ボブ・ディランの『ワン・モア・カップ・オブ・コーヒー』だ。

スキー場の居候生活

兄の同級生の親戚が白馬村で民宿を営んでおり、兄は冬休みになるとその民宿で居候生活をしてスキーを満喫していた。

しかし、大学受験が迫った高校3年の冬休みはそんな余裕はない。兄の代わりに高校1年生の僕が白馬村の民宿「やまや」へ居候に行かせてもらえることになった。

アルバイトではないから給料はもらえない。朝食や夕食などの手伝いをして、昼間はスキーをさせてもらう居候生活である。

年末年始のスキー場は人々であふれかえっていた。「やまや」には100人近いスキー客が泊まり、食事は2回か3回の入れ替え制だった。

僕は食事を運んだり、食器を洗ったりする仕事を担当した。居候ではあったものの、他人に雇われる立場で仕事をするのは初めての経験だ。まだ高校1年生だからと甘やかされることなく、一人前に扱ってもらえることがうれしくて張り切って働いた。アルバイトをしたことがなかった僕は、労働の充実感を「やまや」で初めて知った。

宿のロビーには「恵まれない居候たちに愛の手を」と書いた箱があり、帰る宿泊客はその箱に余ったリフト回数券を寄付してくれた。

当時のスキー場はリフト待ち30分があたりまえなくらい混んでいた。特に年末年始はリフト待ちがひどく、1日券ではもとがとれないから回数券を買うスキー客のほうが多かった。箱に入った回数券を居候たちで分配して、仕事がない昼間にみんなでスキー場へ出かけるのだ。

居候は大学生中心で、僕が最年少だった。「やまや」の長女のMさんが京都の学校に通っていたため、関西方面の大学生が多かった。白馬に来るお客さんも関東より関西のほうが多かったように思う。

5人ほどいた大学生たちは僕をかわいがってくれたし、僕も彼らを慕った。一緒に滑るスキーも楽しかったし、みんなでゴロ寝をする居候部屋で過ごす時間も楽しかった。

大学生たちは高校生の僕の存在を気にすることなく、自分たちの話題で大いに笑う。ときにエッチな話もあって、大学生活の話に僕は胸をときめかせた。自分も早く大学生になって彼らのような生活をしたい、と思った。

大晦日はテレビでレコード大賞や紅白歌合戦を観ることもなく、居候たちと笑い合って新年を迎えた。

家族以外の人々と年越しの瞬間を迎えたことに感動したし、みんなで盛り上がってお酒を少しだけ飲んだことで、自分が大人の世界に足を踏み入れた気になった。

新学期がはじまって登校すると同級生が子供に思えた。刺激的な居候の日々が恋しくて、翌年もそのまた翌年の冬休みも、僕は「やまや」へ出かけることになる。

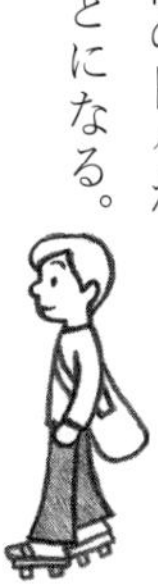

M雄のハスラー

M雄は中学3年のときの同級生だ。

中学校ではそれほど親しくなかったし、別々の高校に進学したのに、高校生になったらなぜか仲良くなった。朝は同じ電車に乗って松本駅まで語り合って過ごした。

M雄は頭脳明晰《めいせき》で運動神経もよく、ルックスもよかった。高校の友達にM雄を引き合わせたことが何度かあるが、そんなときはM雄が友人であることを僕は誇らしく感じた。

M雄は中学のときからずっと新聞配達をしていた。家が貧しかったわけではなく、自分でオートバイを買うために新聞配達をしてお金を貯めていた。

そして高2になるとM雄は学校に内緒で中型二輪の運転免許をとり、スズキのハスラー250を新車で買った。

ハスラーは単気筒の2ストロークエンジンを搭載したオフロードバイクである。シートが高くて大柄なバイクで、身長が高いM雄がまたがるとさまになっていた。

あるとき、M雄はハスラーでいきなり僕の家に来た。時刻は午後10時を過ぎていた。

M雄がなぜ急に僕を訪ねて来たのかはわからない。「どこかへ行こう」と誘われて、M雄が持ってきたヘルメットを渡された。勉強の途中だったけど、僕は胸をときめかせてハスラーの後部シートにまたがった。

夜のタンデムは初めてだ。排気音が昼間よりも迫力あるように聞こえたし、流れる街の光が美しくて、よりスピードを感じた。

M雄は塩尻に向かい、塩尻から国道20号に入り、塩尻峠へ向かった。オートバイを倒して右へ左へとカーブを曲がっていく。オートバイはハンドルで曲がるのではなく、遠心力とバランスをとって車体を傾けて曲がる乗り物であることを体で知った。加速も鋭かった。前方に先行車がいるとM雄は追い越し車線に出て加速し、瞬時に追い抜く。しびれた。オートバイの動力性能の高さも、その魅力的なマシンを自分の力で買って乗りこなすM雄もすごいと思った。

塩尻峠に着くと、諏訪の夜景が眼下に広がった。キラキラと輝いてメルヘンの世界に見えた。夜中に突然現れた男に連れ出され、オートバイのタンデムに胸をときめかせて夜景にうっとりするなんて、自分は女子高生か！　と笑っちゃうけど、恋に落ちそうなほど刺激的な体験だった。

僕は、高校時代はオートバイには手を出せず、20歳を過ぎてからオートバイを手に入れて夢中になった。空前のバイクブームが訪れるのはその数年後のことだ。

M雄とはもう何十年も会っていない。

それでもスズキのハスラーと聞くと、あの軽自動車ではなく、2ストのオフロードバイクが頭に浮かぶのは、M雄の存在が大きいからだ。

シネサロンの日々

松本市縄手通りにある中劇の2階には小さな映画館があった。「世界一小さな映画館」というキャッチコピーがついた中劇シネサロンである。

ソファ形式のゆったりとしたシートはわずか35席。天井が低く、画面も200インチくらいだった印象があるが、カタカタと回る映写機の音が耳に届く映画館らしい映画館だった。上映する映画の内容を紹介する簡易印刷のリーフレットにも味があった。

話によれば、経営者は松本界隈の顔役であり、映画を愛してやまない学生たちに愛情を注いでいたらしい。熊井啓監督や降旗康男監督も切符もぎりや掃除などをして、ただで映画を鑑賞していたという。

高校生の僕もシネサロンに何度も足を運んだ。1500円で5回観られる回数券があって、いつでも出かけられるように僕の財布には常に回数券が入っていた。

シネサロンで観た映画は鮮明に覚えている。『スティング』も『明日に向って撃て!』も『アメリカン・グラフィティ』もシネサロンで観た。

人気のある映画のときは、次の上映がはじまる前に階段に並んで待ったが、クライマックスの音が聞こえてしまうので内容がわからないように耳をふさいで並んだこともあった。高校の友人と観にいったこともあるが、そいつは思ったことを口に出さずにいられない男で、「そりゃないぜ！」とか「なるほど！」などとしゃべるものだから耳障《ざわ》りだったたし、他の観客に対しても恥ずかしかった。

自分の家にこんな映画館があったらどんなにいいだろう。超お金持ちになれたら、こんな映画館を自分の家につくりたいとシネサロンで映画を観ながら思った。

あれから時代は変わった。

僕はお金持ちになってないけれど、八ヶ岳山麓の自宅にはプライベートシアターがある。

壁には120インチのスクリーン、室内に5台のスピーカーとウーファースピーカーをセットし、大音量を響かせてフルHDのプロジェクターで映像を流す。ディスクを購入したり借りにいったりしなくても衛星放送で続々と高画質の映画が放映されるし、アマゾンプライムで好きな映画を選んで好きな時間に自由に鑑賞できる。

シネサロンのような映画の環境を自分の家に築きあげる、という夢を、それほどお金をかけずに実現できたわけだが、違う。そうじゃない。

シネサロンで僕は映画だけを楽しんでいたわけじゃない。見ず知らずの他人と同じシートに座って画面に集中する一期一会の時間と、観客みんなで空気を共有する一体感や満足感もシネサロンで楽しんでいたのだ。

シネサロンは、松本で暮らす僕らの『ニュー・シネマ・パラダイス』だった。

いずみちゃんのステージ

いずみちゃんは頭がよくて、活発な女子だった。

家が近かったこともあり、幼少時代からともに成長してきた。山村ではずっと僕のそばにいた気がする。僕が児童会長になったときはいずみちゃんが副会長になった。ちょっと生意気で、自分の意見を堂々と主張するいずみちゃんは、女子の頼もしきリーダーだった。

僕が松本市内へ引っ越したから離れ離れになったが、高校で再会した。

同じ高校に入学して、偶然にもクラスも一緒になったのだ。

いずみちゃんのことだから、高校でもリーダーシップを発揮してクラスの中心人物になるだろう。そう確信したが、3年ぶりに会ういずみちゃんは無口で控えめな女子生徒になっていた。

山村の中学から僕らの高校に入学した生徒はいずみちゃんだけだ。誰も知り合いがいないのだから仕方ないだろうけど、1学期が終わってもいずみちゃんは無口で目立たない女子生徒のままだった。男子生徒と話をしたり、女子生徒と笑ったりしている姿を見たことがない。

僕が松本市内の中学校に転校したときがそうだったように、山村出身であることに負い目を感じているのだろうか。山村の自宅から高校に通えないから、いずみちゃんは親元を離れて松本市内で暮らしている。その気苦労もあるのだろうか。

気にはなったが、声をかけられなかった。

多感な青春時代である。保育園から一緒に育った関係を同級生に勘繰られたくはなかった。

やがて2学期になり、文化祭が開催された。

部活に関係なく、前夜祭では有志がステージに立って歌や踊りを披露できる。学校の人気者たちの登場に講堂は大いに盛り上がった。

そして演目が中盤にさしかかった頃、山口百恵の『プレイバックPart2』のイントロが流れた。暗いステージにスポットライトが当たると、そこにいずみちゃんがいた。

手作りのドレスに身を包み、客席をキッとにらみつける毅然《きぜん》とした姿勢は山口百恵を想わせた。

いずみちゃんが歌い出すと、会場全体から「おーっ！」という歓声が沸き起こった。

声量豊かな本格的な歌唱。振り付けも山口百恵を完コピしていた。

「だれ、あの子？」という声があちこちから漏れる。歌い終わると会場は拍手喝采に包まれた。

目立たない女子生徒の度肝を抜くパフォーマンスだったから、衝撃が大きかった。

僕は拳を強く握りしめた。覚えたての日本語「快哉《かいさい》を叫ぶ」とはこのことだと思った。「これがいずみちゃんだ！」と僕は心で叫んだ。

あのとき、僕は山村で一緒に成長してきたいずみちゃんを誇らしく思った。

いずみちゃんは、まぶしいほどに輝いていた。

叶うことなら、空の上に旅立ったいずみちゃんに、そう伝えたい。

マサキ、部活やめるってよ

剣道部に入部して約1年半。

上級生が引退して、自分たちが中心のチームとなった高2の夏ぐらいから部活がつらくなった。僕は日々の稽古に打ち込む真面目な剣道部員ではなかった。部活よりも音楽や映画への関心が高く、運動部に入ったはずなのに、文化系の活動が好きな高校生だったのだ。

いつもの顔ぶれと汗だくになって同じ練習を繰り返す単調な部活の日々よりも、変化に富んだ刺激的な高校生活を送りたい。放課後はもっと有意義に過ごしたい。そう考えるようになった。平たく言えば、遊びたくなったのだ。

それに剣道の実力もなかった。

練習をサボったりするから強くなれず、強くなれないから稽古に身が入らない。その悪循環におちいった。さらに実力のある下級生の存在が大きくのしかかりはじめた。

このまま部活を続けて3年生になっても自分はレギュラーになれない。部長のS原は温情主義ではないから勝てる見込みが低い僕を公式戦では選ばず、強い下級生を選ぶだろう。

3年生最後の大会で自分は試合には出られず、下級生に声援を送る。そんな光景を想像して息苦しさを感じた。自分の実力を認める潔《いさぎよ》さもなければ、現実を受け入れる強さもなかった。

剣道部をやめれば自分は解放される。でもやめれば、ともに汗を流してきた部員たちとの友情も断たれる。

どうすべきか悩みに悩んだ結果、自分の実力が下級生よりも劣る現実から逃避しようと、新人戦がはじまる直前の秋に僕は剣道部をやめた――。

それから長い年月が流れ、大人になった僕は九州を旅したときに宮崎県で夏の高校野球地方大会の決勝を観戦した。

勝てば甲子園の切符を手にし、負ければ3年生は引退する大一番の試合だ。判官びいきだから、下馬評が低い側の高校の応援席に座った。

試合は一方的で、こちら側の高校は敗色濃厚だった。

でも応援席の生徒たちはめげない。逆転を信じて熱い声援を送り続ける。その列にはユニホーム姿の野球部員もいた。ベンチに入れなかった3年生もいるはずだ。それでもグラウンドで戦う仲間に向かって汗だくになって懸命に応援している。

その姿に胸が締めつけられた。自分の過去を振り返って、涙があふれそうになった。

逃げ出したくなるようなつらい現実にぶつかっても部活をやめずに3年間練習を続けたであろう君たちはいさぎよし、だ。

栄冠は君にも輝いている。

逃げるは恥だが……

剣道部をやめたら気分的に自由になった。

放課後に気の合う友人とゆっくり語り合う時間もできて、趣味のギターや映画にも没頭できて、高校生活の充実と、新たな可能性を感じた。

その反面、剣道部員たちとの間に溝が生まれた。

彼らがどう思っていたかはわからないが、途中で逃げた自分が白い目で見られている気がして、彼らを遠ざけて高校生活を過ごした。

松本を離れてからも剣道部員たちとの連絡は途絶えたままだったが、卒業から三十数年が経った春に再会できた。

僕はシェルパ斉藤の名で執筆活動をしているが、剣道部員だったI田が「シェルパ斉藤って、マサキじゃねえか」と気づいて妻が管理しているホームページに連絡してきたのだ。そしてI田が幹事となって、剣道部の仲間で集まる飲み会が新宿で計画され、5人の部員と再会した。

50歳を過ぎて、それなりの社会的地位にいる大人たちである。当時のわだかまりは何もなく、僕らは心地よい酒に酔った。

「いまだから話すけど、僕は途中で剣道部をやめちゃっただろ。あれからずっと気まずくて、みんなを遠ざけていたんだ」

正直に告白したら予想外の反応があった。

「うそ！　マサキはやめてないだろ。俺たち最後までずっと一緒だったじゃんか」

僕に気を遣っているのか、と思った。ところがそこにいたみんなが同じことを口にした。マネージャーだった1歳下の女性も「マサキさんがやめた記憶はないんですけど」と言うのを聞いて、みんなが本当にそう思い込んでいることがわかった。

「マサキは練習をよくサボってたから、やめた印象がないんだよ」というのがみんなの説だ。

長い間、劣等感とわだかまりを抱えていた自分がバカらしくなった。自分が思う以上に、人は自分のことを見てないという事実を思い知った。

だから高校時代の僕と同じように、現実から逃げたいと悩んでいる高校生に伝えたい。

部活に限らず、苦しかったら無理して続けなくてもいい。選んだ道を最後までやり遂げることは立派だけど、進む道は何本もある。別の道を歩み出した君を非難する人間は君が思うほどいないし、いたとしても時が経てば忘れ去られる。「逃げるは恥だが役に立つ」なのだ。

ちなみにその飲み会は3月第2週の金曜日の予定だったが、僕の都合で直前に前日に変更した。それも運命だったのかもしれない。当初の予定どおり金曜日に設定していたら再会は果たせず、あのわだかまりがまだ続いていたと思う。

その金曜日は2011年の3月11日だったから。

ふたりのハヤシ

剣道部をやめた僕は生徒会の役員になり(議長を務めていた)、放課後は生徒会室に入りびたるようになった。

生徒会のメンバーは個性的で何かと目立っていた。見た目も人間的にもかっこいい奴が多くて、彼らの友人であることがうれしくもあり、誇らしくもあった。特に印象に残っているのは僕と同じ姓で仲がよかったテツヤと、ふたりのハヤシだ。

生徒会長の林ユウジは学年を代表する好漢で、僕のようなバンカラを気取る生徒も惹きつけるリーダーシップがあった。僕が中学2年のときに通っていた松本市内の中学校の出身で、中学時代から目立っていた。水泳の選手でもあり、ユウジがバタフライで泳ぐ姿を撮った写真部の作品は、いまでも脳裏に焼きついているほどたくましくて、かっこよかった。

生徒会の事務局長だった林クニオは、周囲の人間を楽しませるエンターテイナーだった。物おじせずに進む行動力もあり、高校生なのに「新宿のツバキハウスで踊ってきた」と当時流行っていたディスコに臆することなく足を運んでいた。文化祭ではバスケ部の女子と組んで、郷ひろみと樹木希林の『林檎殺人事件』を歌って踊って大ウケした。

クニオはこういう道に進むんじゃないか、と感心したが、それは現実になった。クニオは東京キッドブラザースに入って俳優として活躍し、様々な舞台を手がける演出家になったのだ。

僕が東京でライターをしている頃、クニオと十数年ぶりに再会して酒を酌み交わしたが、その表情には舞台で磨かれた輝きが感じられた。かっこいい男だと素直に思った。

ユウジとの再会も同じ時期だ。発売されたばかりの電動アシスト自転車で東京から上高地まで走る旅に出た僕は、ユウジが若社長として働く松本の職場を訪ねて、電動アシスト自転車の充電をさせてもらった。スーツを着こなすユウジは同い年に思えない貫禄があり、頼りがいを感じた。やっぱりユウジは別格だ、と感服した。

それから30年近くふたりのハヤシとは会ってないが、松本の地域新聞『市民タイムス』の紙面でふたりの姿を見た。

松本市の裏町を活性化するプロジェクトの記事である。活性化協議会の会長でもあるユウジと、そのプロジェクト第1弾として演劇を裏町で公演するクニオのツーショット写真が紙面に掲載されていた。

ふたりが並んで微笑む写真を目にして胸が熱くなった。

還暦を迎えたというのに、おまえらは見た目も、やっていることも、情熱もあの頃のままじゃないか！　かっこいいぞ、ふたりのハヤシ！　がんばれ、ふたりのハヤシ！

ふたりのハヤシと熱き高校時代をともに過ごせたこと。それは僕の勲章であり、心の支えになっている。

ずっと好きだった

ずっと好きな女子がいた。仮名でナツコとしておく。

ナツコは僕が山村から転校した松本市内の中学校の同級生だった。僕は中3になるとき郊外の中学校に転校したが、高校に入学したらナツコがいた。

中学時代よりも美しくなっていた。僕から見たら他の女子がかすんでしまうくらい、ナツコは輝いていた。彼女の姿を目にするだけで、胸がキュンとなった。

中学の同級生だから廊下ですれ違ったりするとあいさつを交わす。そんな日は1日がバラ色だった。クラスが一緒ならどんなに幸せだろうと思った。

でも僕は何も行動できなかった。なんとかしたい思いはあったけど、何も行動しないうちにナツコに彼氏ができた。

1学年上の上級生だった。文化祭のフォークダンスで、彼がナツコを誘う場面を僕は目撃した。ナツコはそれほど乗り気ではなかったように思うが、文化祭以降、ナツコは彼と一緒に下校するようになり、その姿を目にするたびに僕はモヤモヤした気分になった。

でもチャンスが訪れた。上級生が卒業して3年生になった春、生徒会室で仲間と他愛もない話をしていたらナツコの話題になった。

「ナツコは○○先輩とはもうつきあってないんだって」と聞き、僕の心が雄叫《おたけ》びをあげた。いまこそ告白しよう。ふたりのハヤシやテツヤなど、たくましく生きる友人に感化されて、僕は勇気が湧いた。3年生の運動部員は最後の大会が終わると、彼女をつくる傾向にある。誰かにナツコをとられる前に今度こそ自分の気持ちを行動で示すのだ。

僕はナツコの家に電話をかけることにした。名簿があるから連絡先はわかる。問題はどうとり次いでもらうかだ。

僕は頭のなかで何度も復唱した。

「もしもし、○○さんのお宅ですか。僕は○○高校で○○ナツコさんと同級生のサイトウマサキと言います。連絡したいことがあるので、ナツコさんはいらっしゃいますか」

緊張感が伝わらないように、自然と言えるように、何度も何度も頭のなかで繰り返した。気がつけば、言葉が口に出ているほどで、電話すると決めた前日から緊張で胸が張り裂けそうだった。

携帯電話があったなら、本人と簡単に通話ができるだろう。でもこの障壁があるからこそ、恋愛は尊い。人間として大きく成長するための通過儀礼だと、いまなら思う。

電話はぎこちなかったものの、練習のかいもあって電話口にナツコを呼び出すことに成功した。

「あのさ、僕とつきあわない？」

「え？」

重い沈黙の時間が続いた……。

放課後デートの日々

「……。急に言われてもわかんない」

沈黙のあと、ナツコは電話でいきなり告白した僕にそう答えた。

「じゃあ、明日まで待つ。明日学校で返事を聞かせて」

そう頼んで僕は電話を切った。

コードレス電話もない時代だ。うちの電話は居間にあったから、電話の内容を親に聞かれたかも、と気になったし、告白した興奮も収まらず、さらにナツコの返答も気がかりで、その夜もろくに眠れなかった。

そして翌朝。約束した学校の自転車置き場でナツコを待った。ナツコはいつもの登校時間よりも10分ほど早く現れた。

「ずっと友達だったからつきあうって感情になれるかわからないけど、一緒に帰ったりするくらいならいい」

答えはイエス、とは言えないけど、ノーでもない。大きな一歩を踏み出したと考えてもいいだろう。

僕らはさっそくその日から一緒に帰った。

自転車置き場で待ち合わせて、それぞれの自転車に乗って通学路を走る。途中でナツコは女鳥羽《めとば》川沿いの自宅に向かい、僕は駅へ向かう。それだけのことだったけど、連日続けたら学友たちに目撃されて「マサキとナツコがつきあってる」と噂になった。

僕はそれが誇らしくもあり、校内の公認の仲に発展したことがうれしくて、放課後が待ち遠しくなった。

「一緒に帰るだけ」と言っていたナツコとの関係もいい方向に変化しはじめた。

下校後はふたりで市立中央図書館に出かけ、並んで受験勉強をして、そのあとは松本城に行って公園のベンチに腰かける。会話はどうってことない内容なんだけど、日が暮れるまでふたりだけで過ごす。「一緒に帰る」から「デート」と表現してもさしつかえないレベルにまでランクアップした。

僕を見つめるナツコの瞳も以前とは変わった。言葉にしてもらってないけど、恋愛感情が少なからずあることを僕は確信した。

僕はそんなナツコと寄り添って一緒の時間を過ごせるだけで幸せだった。バンカラを気取っていたから松田聖子の歌のように「半年過ぎても手も握れない」男だったけど、隣にいるナツコの体温を感じられるだけで心は満たされ、胸がいっぱいになった。

この幸せな時間が永遠に続きますように。そう願ったが、現実はそんなに甘くはない。思わぬ結末を約半年後に迎えることになるのであった。

守ってあげたい

生徒会役員は応援団とともに応援練習を仕切る特権が与えられている。

それは新入生に最上級生の威厳を誇示する場でもあり、生徒会役員になった最上級生の僕も意気込んで臨んだ。

実際に応援の指導をするのは応援団員で、僕ら役員は校庭に整列した新入生をにらみつけて列を歩きまわる役割だ。役員仲間のM井は生意気そうな新入生の前で仁王立ちになってビビらせたが、童顔で小柄な僕にはそういう芸当ができない。肩をいからせ、眉間《みけん》にしわを寄せて新入生の列を歩きまわった。

すると、列のなかほどにキャンディーズのミキちゃんに似た女子がいた。かわいい子だなと思ったけど、威厳を誇示しなくてはならない。

普通に通り過ぎようとしたその瞬間、ミキちゃん似の女子は立ちくらみのようにバランスを失って倒れそうになった。

僕はとっさに彼女を支えた。そして保健室へ運んだ。彼女をどうやって運んだのか、記憶にない。抱きかかえたはずはないが、とにかく僕は彼女に付き添った。

華奢《きやしや》な体格だからもともと貧血気味だったのかもしれない。応援練習の過度の緊張が悪影響を及ぼしたのだろう。

「無理しなくていい。応援練習は休めばいいよ。生徒会役員の僕が許可する」

そう告げて僕は保健室を出た。

応援練習は1週間ほど続く。出なくていいのに、翌日も彼女は参加した。僕は彼女のそばを通るたびに「大丈夫？　無理しないで」と声をかけた。ひ弱な彼女を守ってあげたい気持ちが日増しに強くなった。

その応援練習が終わってから、僕は彼女の視線を感じるようになった。

登下校時などに少し離れた場所から僕を見つめているのだ。

勘違いかも、と最初は思った。でも彼女に近寄って「どう？　学校には慣れた？」と声をかけたときの表情と目の動きを見て確信した。

ミキちゃん似のかわいい後輩に思いを寄せられて、うれしくないわけがない。僕がその気になればこの関係は必ず成就する。

でも僕は彼女に対して何も行動しなかった。逆に彼女の純真な心にふれて、勇気が生まれた。自分の気持ちに正直になって行動しようと決心し、ずっと好きだったナツコに告白したのである。

放課後にナツコと一緒に帰るようになった日も、彼女は僕を見ていた。僕は彼女を見ることができなかった。そのときの彼女の心を思うと胸が痛む。

自分が幸せになることで傷つく人がいることを知った。

破天荒な女鳥羽川の夜

最上級生で迎えた文化祭は、夏休み前に開催された。

それまでは秋の開催だったが、僕らの世代から共通一次試験が実施されることになり、夏休みは受験勉強に専念させようという学校の方針で、夏休み前に変更されたのである。

文化祭のテーマは、副会長のT澤の発案で『破天荒』と決まった。前年のテーマ『完全燃焼』に比べたら少しわかりづらいけど、悪くはない。生徒会役員の僕も遅くまで学校に残り、みんなと文化祭の準備に全力投球する充実した日々を過ごした。

そしてそのエネルギーに感化され、自分も『破天荒』な何かをしたい衝動に駆られて、あるプランを思いついた。

文化祭の夜は家に帰らず、女鳥羽川《めとばがわ》で単独の野宿をするのだ。

なぜ女鳥羽川かというと、つきあっていたナツコの自宅が女鳥羽川に近かったからだ。夜中に彼女を呼び出し、ふたりだけの夜を過ごそうと僕は考えた。

そして迎えた文化祭当日。僕はマットと寝袋を持って登校し、ナツコに告げた。

「今夜、女鳥羽川のベンチで寝るから会いにきて」

その言葉にナツコは「えーっ!」とあきれ顔で口にしたものの、こくりとうなずいた。

僕が女鳥羽川に出かけたのは、校庭で盛り上がるキャンプファイヤーが終わったあとだから、午後10時過ぎだったと思う。携帯電話がない時代だから、ナツコと連絡をとりあうこともできず、僕はベンチに腰かけてタバコを吸ってひたすら待った。

人影が見えるたびにドキッとしたし、警察に見つかって尋問されやしないか、と心配にもなって落ち着かない時間が続いた。

ナツコは来ないかも、とあきらめかけた午前1時過ぎ。ナツコが息を切らせて現れた。

親が寝静まるのを待ってから部屋を出てきたという。夜道を歩くのが怖かったから駆けてきた、とナツコは口にした。

その言葉を耳にして胸がキュンとなった。顔がにやけてしまいそうだし、抱きしめたい衝動にも駆られたけど、バンカラを気取っている僕は「ありがとう」とだけ、ナツコに告げた。

何を話したのか、覚えていない。ベンチにふたりで座り、夜の小さな川の流れを黙って見つめていたことは覚えている。このうえなく満ち足りた時間だったことは確かだ。

ナツコは午前3時過ぎに帰っていった。自宅まで送るつもりでいたが、ナツコは「ひとりで大丈夫だから」と言って夜道を駆けていった。

そのあとも興奮が収まらず、一睡もできないまま朝を迎えた。

アウトドアの旅を40年以上続けている僕は、これまで数えきれないほど旅の空の下で眠ってきたが、すべては女鳥羽川の夜からはじまったのだ。

高田馬場の夏期講習

かつて国立大学には一期校と二期校があり、受験生は国立大学を受験できる機会が二度あった。わが高校の場合、3月上旬の一期校の入試では新潟大学を受けて、3月下旬の二期校の入試では信州大学を受けるケースが最も多かった。

しかし、僕らが受験生になった年に入試制度が大きく変わり、国公立大学を1校しか受けられない共通一次試験がはじまった。試験日も3月から1月に早まったため、夏休みの過ごし方が受験の成否を左右すると、先生たちは口を酸っぱくして僕らに言い続けた。

ではその夏休みをどう過ごすべきか？　文化祭を終え、生徒会仲間のクニオやテツヤが「東京の予備校の夏期講習に参加しよう」と提案したので、僕もそれに乗っかった。

入試に特化した講習を受けたい思いよりも、東京で過ごす夏休みに憧れた。

夏休みになれば東京の大学に進学した兄が帰省するから、兄のアパートに住まわせてもらえる。東京のひとり暮らしを満喫できる。夏期講習に参加する仲間も気の合う奴ばかりだから、バラ色の夏休みになるはずだと思った。

母親は愚息の考えを見通していたとは思うが、何も言わずに約2週間の夏期講習費を出してくれて、兄と入れ替えで僕は上京した。

兄のアパートは西武新宿線の沿線にあり、予備校は高田馬場にあった。

高田馬場の駅前には貴ノ花とマリリンモンローが裸で向き合う悪趣味な像があり、それを横目で見つつ、予備校に通った。すし詰め状態の満員電車も苦痛ではなかった。自分が大都会にいて、東京の光景の一部を形成していることに誇りを感じた。

夏期講習に通う生徒たちの多くは東京の高校生だったと思う。みんな私服だからお洒落で華やかに見えた。モデルみたいな美少女もいたし、イケメンもいた。話をしたい思いもあったが、勇気もなく、きっかけもつかめず、誰とも友達になれなかった。おかげで授業に集中できたので、結果的にはよかったのかもしれない。

講習が終わると別の教室で学んでいたクニオやテツヤと遊んでから兄のアパートに帰る。スーパーに寄って買い物をして夕食をつくり、テレビを見て、少し勉強をして、眠たくなったら寝る。生活のすべてを自分の手でしなくてはならないが、何をしても自由だ。ひとり暮らしは大人の世界だな、すばらしいなと感動した。来年はこの生活が自分のものになると思ったら、胸がワクワクした。

ちなみに僕は3年生に進級するときのクラス分けで、国立文系コースに進んだ。

理系が苦手だったから、私立文系コースを選ぶべきだったが、共通一次試験はマークシート方式である。問題が解けなくてもカンを働かせて番号を選べばうまくいくかもしれない。自分は本番に強いんじゃないか、と信じ込んだ甘い受験生だった。

東京で生きる友人とわが進路

高2の夏、同級生のY野井が学校をやめた。

Y野井は細身でピーター・フランプトンのようなカーリーヘアと端正な顔立ちをしたギタリストだった。いつもギターケースを肩にかけて登校して、午後になると早退していく。Y野井が女子高の前を通ると女子生徒が身を乗り出して声援を送るほど、Y野井はモテた。Y野井のバンドのコンサートに出かけたことがあるが、演奏は本格的で、ステージに立つY野井は輝いていた。

Y野井の退学の理由は知らない。東京に出てプロのミュージシャンになったという噂も聞いたし、人妻と駆け落ちしたという噂も聞いたが、Y野井ならどちらもありえると思った。

Y野井とは音信不通になったが、高3の夏に予備校の夏期講習で上京したとき、クニオに「Y野井に会いにいこう」と誘われた。クニオはたびたび上京していて、Y野井と連絡をとりあっていたようだ。Y野井は僕にも会いたがっているというので、Y野井が住む西武池袋線中村橋駅のアパートへクニオと出かけた。

Y野井は2歳年上の女性と同棲していた。故郷の旧友が訪ねてきたことが彼女もうれしかったのだろう。その夜は彼女の手料理をごちそうになり、僕とクニオはY野井の部屋に泊まった。

Y野井はミュージシャンとして活動していた。まだ音楽だけでは食っていけず、彼女が働いて生活を支えているが、プロのミュージシャンになろうと、ギター1本で勝負している。そんなY野井が頼もしく思えたし、友人であることを誇りに感じた。

その夜、僕は眠れなかった。Y野井と彼女が寄り添って眠るベッドのすぐ横でクニオと接近して寝ているせいもあったけれど、明確な目標に向かって生きているY野井を目の当たりにして、自分が小さく思えた。

僕には人生の目標もなければ、やりたいことも好きなことも見つからない。大学に入る目標はあるけれど、その先が見えない。

打ちひしがれた気持ちでY野井のアパートを出たが、都会の雑踏にもまれ、予備校の夏期講習に出ているうちに勇気が芽生えた。

自分ひとりじゃない。夏期講習に来ている生徒にも自分と同じ人間がいるはずだ。やりたいことがあって、それを実現するための進学が理想かもしれないけれど、自分が何をすればいいか、何を目標にすればいいか、それを探すための進学でもいいんじゃないか。

兄と同じく、親は僕を東京の大学に行かせてやると言っているのだ。僕はY野井のように強くないから、社会に出て生きる能力がまだない。それを身につけるための大学の4年間、いわば人生の執行猶予期間を得ることを目標に受験勉強に励もう。

そう開き直れたことが、夏期講習の成果となった。

この人生設計は数ヶ月後に狂うことになるのだが……。

マイルームは自分だけの城

自分の部屋が大好きだった。

松本郊外の家で僕にあてがわれた部屋は6畳程度のフローリングの洋室で、壁も木目調のシートで囲われていた。

ベッドがあって、部屋の中央には古タイヤをふたつ重ねた上にガラス板をのせたテーブルをセットしていた。そのテーブルのように、創意工夫して部屋を飾り、オリジナリティーを出すのが好きな高校生だった。几帳面といえるほどの性格ではなかったが、部屋は常に掃除していたし、棚に収めた本やレコードも友人からもらった思い出の品もきちんと棚に並べていた。すべてに思い出が詰まっているから大事にしなくてはならないと考えていたのだ。

当時は部屋にポスターを貼る高校生が多かった。『明星』や『平凡』などの雑誌はアイドルやスターのポスターが綴じ込みになっていて、同級生の部屋に遊びにいくとキャンディーズやピンク・レディーのポスターがたくさん貼られていた。

兄は南沙織が好きだったし、5歳年下の弟は高校生になったときに小泉今日子のポスターを部屋に貼っていたが、僕は女性歌手や女性アイドルに興味がなかった。

僕が部屋に貼っていたポスターはスティーブ・マックイーンだ。映画『大脱走』でTシャツを着てオートバイにまたがるシーンのポスターが本町商店街の2階にある文具店で売られていて、それを買って部屋の壁に貼った。

僕は硬派なバンカラを気取る高校生だったし、部屋の雰囲気もそんな感じだったものだから、アイドルのポスターを貼ると部屋のイメージが崩れると思っていた。

でもひとりだけ憧れた女性がいた。

尾崎亜美が歌う『マイ・ピュア・レディ』が流れる資生堂のCMに出ていた小林麻美だ。歌の世界観と透明感のある彼女の姿が重なり、初めてテレビでCMを見たときは胸がキュンとなった。彼女が見つめる資生堂のポスターが本当は欲しかったけど、硬派を気取っていたからそれができずにスティーブ・マックイーンを貫いた。

自分の部屋は城であり、秘密基地でもあった。

家族と過ごす時間も、居間で『ザ・ベストテン』などのテレビ番組を観る時間も好きだったけど、それよりも自分の部屋にこもる、ひとりの時間を愛した。タバコを吸うのも、コーヒーを飲むのも、ボブ・ディランやイーグルスなどの曲を聴くのも、ギターを弾くのも、自分の好きな部屋だから没頭できたし、酔いしれることもできた。

本もレコードもオーディオもギターも記念の品も、自分の部屋にあるものはすべてが宝物であり、大人になってもずっと持ち続けるんだと、高校生の僕は思い込んでいた。すべてを失うことになるなんて、考えもしなかった……。

自分の居場所がなくなる日

高校3年生の冬、2学期が終わる終業式の朝だった。食卓で父が深刻な顔で言った。

「会社が倒産する。この家にはもういられない」

かれこれ42年も前の話だし、衝撃が大きかったので、父が実際にどんな言葉を口にしたのか、よく覚えていない。父の経営する建設会社がつぶれることは理解できた。

父は行き先も告げずにクルマで出ていき、冬休みで帰省していた大学生の兄と中学1年生の弟と母と僕が家に残された。

終業式どころじゃなくなった。無断欠席になるが、そんなことはどうでもよかった。僕の心臓はドキドキしたままだった。これからどうなるんだ？　と不安も大きいけど、大冒険の旅に出るような胸のときめきもあった。なんかすごいことになりそうだ、と高揚感に包まれていた。

僕らはそれぞれの部屋で荷物をまとめた。必要最低限の生活用品とそうでない荷物を分け、捨てたくない思い出の品などはあとで山村の実家に運ぼうと決めた。

宝物に囲まれたマイルームがなくなる。自分の居場所もなくなってしまう。そう覚悟して部屋を片付けたが、意外にもつらくはなかった。まだ実感が湧かなかったのかもしれない。

でも今日まで何も知らずに生きてきた自分には腹が立ち、苛立《いらだ》ちも覚えた。

親が社長である自分の家は裕福だと思い込んでいた。金銭面で不自由な思いをしたことはない。アルバイトをしたこともない。毎月お小遣いをもらい、好きなレコードを買い、映画やコンサートを観にいき、ナツコとデートを繰り返した。東京の予備校の夏期講習にも行かせてもらったし、来春からは仕送りをしてもらえる東京の大学生活がはじまると信じていた。

でも、そうじゃなかったのだ。山村で暮らしているときに旅館や酒屋を廃業し、松本市内の家で暮らしはじめたのに郊外の借家に移り住んだのも、父の会社の経営が行き詰まって自転車操業していたからなのだ。

子供には心配をかけまいと、親は経営状態を隠したのだろうけど、そんな現実を知ろうともせずにバンカラを気取って好き放題の高校生活を送ってきた幼稚な自分が恥ずかしいし、哀しい。

その夜、父が金を借りた男性がやってきた。ただならぬ部屋の様子を見て状況を理解したのだろう。母は年末だから大掃除をしているんだと言い訳したが、通じなかった。

「おーい！　この家は夜逃げするぞーっ！　夜逃げだぞ！」

男は窓の外に大声を発した。夜は声がこんなに響くのかと驚いた。

僕と兄は男性を押さえて外に出した。若者ふたりの力にはかなわないから男性は退散したが、「夜逃げするぞ！」という大声で、近所の住民に状況が知れ渡ったはずだ。

母はうなだれ、肩を震わせた。

夜逃げする、という屈辱的な現実が僕らに重くのしかかった。

新聞奨学生の道を歩む

これから自分たちはどうやって生きていこう？

会社が倒産して住む家はなくなるし、借金の取り立てもあるから松本にはいられない。東京で大学生として暮らしていた兄は別として、父、母、中学生の弟、そして高校生の僕という、わが家族が一緒に暮らす生活はいきなり終わりを告げた。

一時帰宅した父は、秋田に行くと言った。知人のつてで秋田にいい仕事を見つけたから身をひそめて出稼ぎに行くとのことだが、残された家族の身の拠り所までは考えていなかった。

父の代わりに奮闘したのはまだ二十歳前の兄だ。

千葉にいる高校時代の同級生を頼って、母と弟が暮らすアパートを千葉県の津田沼に借り、引っ越しの準備を進めた。

東京の私大に通っていた兄は、授業料も生活費もアルバイトで工面する苦学生の道を歩み、さらに一家の大黒柱として残された家族を支える覚悟でいたのだ。

では、自分はどうしよう？

3学期が残っているから松本を離れたくない。高校はきちんと卒業しておきたい。でも松本にはいられない。そんな状況で頼ったのは毎年冬休みに居候させてもらっていた白馬村の民宿「やまや」だ。

年末年始はスキー客が押し寄せて人手が欲しい状況だし、年末年始以降も居候として住まわせてもらえるだろう。3学期になれば受験体制になって登校日が週に1日くらいになるから、登校日だけは白馬から大糸線で松本の高校に通えばいい。

当面はなんとかなるが、問題は卒業してからだ。

親に入学金や授業料を頼れない状況になってしまったから、大学進学はあきらめるしかないのだが、僕は父の言葉を信じた。

父は「秋田で1年間一生懸命に働けば借金を返せる。来年はマサキを大学に行かせてやる」と言ったのだ。

それを信じて僕が選んだ道は新聞奨学生だ。新聞販売店に住み込んで、朝夕の新聞配達をすれば学費を新聞社が全額出してくれる。住む場所も食事も確保される。その制度を利用して東京で新聞配達をしながら予備校に通い、1年後に大学受験しようと決めて、自主浪人の道を選択した。

父の言葉はその場しのぎで、1年後に借金を返済して大学の入学金や授業料を捻出できるはずないのだが、僕は父を信じたかった。信じることで乗り切ろうと思った。

アルバイトの経験もない僕だから、新聞奨学生として4年間の大学生活を過ごす自信も勇気もなかったが、1年間だけならどうにかなる。苦しくてもがんばれるはずだ。

父の言葉が頼みの綱だった。

受験生に囲まれて

高校3年生の冬休みも僕は白馬村の民宿「やまや」で過ごした。でもこれまでとは状況が異なる。

家族離散で夜逃げして、住む家がなくなったから「やまや」に居候させてもらっているのだが、「やまや」の人々はこれまでと変わらず、親戚の子のように僕を受け入れてくれた。

居候の大学生たちも知ってか知らでか、受験生のはずなのに居候している僕の事情を聞こうとはしなかった。

スキーブームが続いて毎日が忙しかったし、居候たちと共同生活する日々はこれまでと同じく楽しくて、自分の未来を見通せない現実を忘れさせてくれた。

でも新学期がはじまれば現実の世界が待っている。3学期の登校日に僕は白馬の神城駅から大糸線で松本の高校へ出かけた。

初めて実施される共通一次試験が間近に迫っていた。友人たちは大学入試で頭がいっぱいだったはずだ。気の置けない友人には帰る家もない現状を話して驚かれたけど、クラスメートに伝える気はなかった。

大学を受験することなく、新聞奨学生として東京の予備校生になる決意を固め、白馬の民宿でスキーをしながら居候生活をしている自分は、蚊帳《かや》の外であることを実感した。

つきあっていたナツコにも僕は何も話していなかった。

2学期の終業式の日は年内最後のデートをするつもりだったが、登校せずに行方をくらませたから、ずっと連絡をとっていない。

事情を説明して、彼女に救ってもらいたい気持ちはもちろんあった。彼女の励ましは大きな心の支えになるはずだ。でも大学入試を控えた彼女に負担をかけたくなかった。それに伝える勇気もなかった。彼女の反応が怖かったのだ。

もしも「私には関係ないことだから」と彼女が口にしたらどうしよう？　そんなはずはないと信じたいが、ありえなくもない。僕は自信を喪失していた。

彼女が優しく包み込んでくれたらうれしいけど、そうでなかったら自分は深く落ち込む。傷つくのが怖くて、悲惨な結果になった場合の未来を避けたくて、ナツコとは距離を置き、僕らの関係は受験の日々に忙殺されるように消滅した。

僕はスキーに没頭した。これまでの2年間の居候生活よりもスキーに熱中した。雪焼けで顔が黒くなり、ゴーグルの跡が白くなる逆パンダの顔になった。

登校日に顔を出すと、受験直前の青白い顔をした同級生のなかで自分が浮いた存在になっていた。その現実に少し誇りを感じている自分がいたことも確かだ。

でもアウトローの道を進む覚悟はまだ固まっていなかった。

深夜急行に乗って

ＪＲが国鉄の時代、中央線には急行アルプス号が運行されていた。新宿と松本を結ぶ急行列車で、新宿を午前０時過ぎに発車する夜行のアルプス号は首都圏からの登山列車として親しまれていた。

それとは逆に松本を深夜に出るアルプス号もあり、１９７９年の年明けに僕は初めてその夜行列車に乗った。

両親も兄弟も松本を離れ、３学期が残っている僕だけが白馬村の民宿に居候して松本の高校へ通っていた。千葉県の津田沼で暮らしはじめた母と弟の生活が少し落ち着いたと聞き、母と弟に会いにいくために僕は深夜に発車するアルプス号で上京した。

夜行列車の必要はなかった。それなのに早朝に新宿へ着くアルプス号に乗ったのは、働きに出る前の母と登校前の弟の顔を見たかったからだし、ひとり残った自分がつらくて、肉親が暮らす都会に早く近づきたい思いもあったからだ。

アルプス号の入線を待つ松本駅のホームはわびしくて、寒かった。列車を待つ人の姿もなく、ホームを吹き抜ける１月の冷たい風が体にも心にもしみた。

ボックスシートの座り心地がよくなかったこともあり、車内ではほとんど眠れず、夜明け前にネオンがきらめく新宿駅に到着した。

総武線はまだ運行していない。行く場所はないし、どこでどう過ごしていいかわからない。新宿駅の東口を出て立ち尽くしていたら「ちょっと、君。何をしてるんだね?」と警察官に声をかけられた。

僕は何もしていない。でもどう答えるべきなんだ? 緊張して口を閉ざしていると、東口の交番に連れていかれた。田舎から逃れてきた家出少年に思われたのだろう。

補導された僕は警察官に身の上を話した。家業が倒産して一家離散状態になったことも、帰る家がなくなったことも、すべてを話した。

僕の表情を読み取って、話を信じたのだろう。警察官は「電車が動くまで奥の部屋で寝てなさい」と、交番の奥に案内してくれた。東口の交番の奥には畳の部屋があり、僕は少し眠らせてもらった。そして電車が動くのを待って、津田沼に向かい、母と弟が暮らすアパートへ出かけた。

新居は2Kの間取りだった。逃げてきた家よりも格段に狭かったが、5歳下の弟は「お母さんが近くに見えてうれしい」と喜んでいた。

松本の中学校の友達にさよならも言えずに見知らぬ土地へ連れてこられたのに、ささやかな幸せを感じている弟が愛《いと》おしく思えた。

補導された件は恥ずかしかったし、余計な心配をかけるだけだから秘密にした。

僕は補導歴のある高校生、ということになる。

仰げば尊し

家族と別れた高3の3学期は金欠状態が続いた。

白馬村の民宿に居候していたから寝床と食事は困らなかったが、手元にはまとまったお金がなく、3学期の授業料が払えなかった。高校から授業料の催促がきたら、叔母や叔父を頼って工面してもらおうと考えていた。

ところが高校から授業料を請求されることなく、卒業を迎えることができた。のちに知った話だが、3学期の授業料は担任のK岩先生が肩代わりしてくれていたらしい。

いつか返そうと心に誓ったものの、返せないまま月日が流れた。

貧しかった学生時代は仕方なかったとしても、物書きになって経済的に余裕が生まれてからも腰が上がらず、胸のつかえを感じたまま日々の生活に流された。

積年の課題を解決できたのは、卒業から20年以上が経ってからだ。

アウトドア雑誌『ビーパル』に旅の連載をしていた僕は、耕うん機で北海道から沖縄まで日本を縦断する旅を企画し、松本を通ったときに定年退職したK岩先生の自宅を訪ねた。

恩知らずの自分はK岩先生に正面から向き合う勇気がなく、耕うん機の旅の途中に立ち寄った口実で茶化そうとした。

K岩先生は耕うん機で訪れた出来の悪い生徒を平然と迎え入れ、当時を懐かしんで語った。

「そういえばそんなこともあったね。『サイトウ〇〇の息子がいるだろ』とガラの悪い大人が学校に来たこともあった。その子はもう退学してここにはいない、と嘘をついて押し返したっけなあ」

初めて知る話だった。K岩先生は授業料を肩代わりしてくれただけでなく、僕を守ってくれたのである。僕は無礼を詫び、20年以上渡せなかった授業料を差し出した。

「そんなお金は受け取れないよ。困った生徒がいたら面倒をみるのは教師として当然のことだ。返したい気持ちがあるなら、困っている若者を助けてあげればいい」

20年以上経っても、定年退職を迎えても、先生は先生だった。僕はK岩先生の言葉を実行する約束を交わし、晴れ晴れとした気分で松本を立ち去った。

後日そのエピソードを『ビーパル』の連載に書き、掲載誌をK岩先生に送った。

すぐにK岩先生から手紙が届いた。手紙に書かれていたのは献本の礼状だけではなかった。

「斉藤くんが長い間、授業料の件を気にしていたことを知り、申しわけなかったと思います」と記してあり、手紙を持つ手が震え、目頭が熱くなった。

「返したい気持ちがあるなら、困っている若者を助けてあげればいい」と語ったK岩先生の教えを守っていこうと固く誓った。

K岩先生は数年前に他界された。

僕は僕なりにあの約束を守り続けて、生きている。

オートバイの免許とコロ

父の借金は実の弟や妹にも被害が及んだ。僕の叔父さんや叔母さんたちである。保証人にされた話も聞いたし、世間的にも肩身の狭い思いをしたはずだ。

でも叔父や叔母は僕らの味方であり続けた。

大学生の兄に対して「大学をやめて働くべきだ」とか、僕に対しても「進学はあきらめて働け」との声も周囲から聞かれたが、叔父や叔母は僕らの意思を尊重した。

あるとき、松本にひとり残った僕は叔父から「何か欲しいものはないか？」と聞かれた。

子供の頃から僕ら兄弟をダンプカーに乗せてかわいがってくれた心優しき叔父である。4月から東京で住み込みの新聞配達をする僕を不憫《ふびん》に思ったのだろう。すべてを捨てる覚悟でいた僕は欲しいモノなどなかったが、モノではないものがひとつだけ欲しかった。

オートバイの免許である。

山村に住んでいたとき、うちに下宿していた若きS木先生のオートバイに影響を受けたし、高校生になってからは同級生のM雄のハスラーに魅せられた。

3月生まれの僕は普通車の免許が取得できる年齢ではなかったし、そもそもクルマよりもオートバイに対する憧れのほうがずっと強かった。

「オートバイの免許があれば新聞配達にも有利かもしれない」

配属される販売店はオートバイで新聞を配る地域ではないのだが、僕は叔父に適当なことを言って甘えた。でもそれから数年後に僕はオートバイの旅に夢中になり、その延長で紀行作家になったわけだからオートバイの免許が人生に役立ったことは間違いない。

叔父はいやな顔ひとつせず、教習所の費用を全額払ってくれた。

白馬村の「やまや」で居候生活をしていた僕は、松本市内の叔母の家に10日間ほど住まわせてもらい、自動車教習所に通った。

真冬だから実技教習は寒かったが、オートバイ（ホンダのホークⅡというモデルだった）に乗れることがうれしくて、免許の取得に没頭できた。

それに松本市内の叔母の家には犬のコロがいて、ささやかな幸せを感じた。

コロはうちで飼っていた雑種の犬だ。夜逃げするとき、コロの処遇をどうするか悩んだが、叔母が「うちでなんとかする」と引き取ってくれたのである。

コロは以前よりも僕になついた。僕が近寄ると尻尾をビンビンに振り、頭を撫でてやると目を細める。撫でる手を離すと、もっと撫でて、と催促するように頭を寄せてくる。コロの主人となった叔母には申しわけなかったが、コロにとっては僕が唯一残った本当の家族だったのだろう。

コロを撫でているときは幸福感に包まれた。でもやがて訪れる別れが切なくもあった。

踊り疲れたディスコの帰り

私大の入試がはじまった2月も、僕は白馬村の「やまや」で居候生活を送っていた。

春休みに入った大学生たちが加わり、居候部屋は活気があった。

民宿の手伝いが終わったらみんなでスキーに出かけ、夜は大学生たちと語らう。愉快な毎日が続いたが、心の底から笑えない自分がいた。

高校を卒業したら東京で新聞配達をしながら予備校に通う日々が待っている。アルバイトをしたことがない自分が新聞配達の仕事をやっていけるか不安だったし、来年は大学を受験するのに、自分は何も勉強せずに遊んでいる。これじゃダメだと思うんだけど、勉強は手につかない。

自分の将来はどうなるんだ？

ひとりになったときや布団に入ったとき、急に心細さと胸苦しさに襲われて眠れなくなることが起きた。でも僕に愛情を注いでくれる「やまや」の娘のMさんや居候仲間に心配をかけたくない。不安を隠して明るく振る舞い続けたが、あるとき感情が爆発した。

八方尾根にディスコができたとのことで、Mさんたちは高校生の僕も大人扱いして連れていってくれた。

外は雪に覆われた静かな夜なのに、建物のなかは大音量と艶やかな光がきらめく別世界だ。華やかな雰囲気に酔いしれたが、陽気に踊る若者たちと空間を共有しているうちに苛立《いらだ》ちを感じた。大学生の兄は家賃数千円のボロアパートに移り住んで、授業料と生活費を稼ぐためにきついアルバイトに追われるハードな日々を送っている。遊ぶ時間はまったくない。

それなのに……。

この場にいるのがいやになり、Mさんに「走って帰る」と告げて外に出た。Mさんは止めたけど、僕の気持ちを察して「マサキの好きなようになさい」と送り出してくれた。

凍てつく夜だった。息を吸うと冷え切った空気が体内に入り込んだ。

ディスコから「やまや」までは約６km。僕は雪で固まった道を走りはじめた。酒に頼れない高校生の僕は肉体を酷使することで自分を解放するしか方法がないのだ。

息が切れ、体が温まるにつれて心も浄化されていく感覚だった。

負けるもんか！　と何度も叫び、自分を鼓舞して走り続けた。

途中でMさんたちが乗ったクルマが来て「マサキ！　がんばれ！」と僕を応援してくれた。

「やまや」に着くと、Mさんも大学生たちも建物の外で到着を待っていて「マサキ、よくやった。立派だぞ！」とわがままな子供にすぎない僕を温かく迎えてくれた。

凍てつく寒い夜でも心は火照《ほて》っていた。

大丈夫だ。どんなにつらくても全力で走ればいい。

東京で生き抜く自信が芽生えた、ディスコの帰り道だった。

さらば、松本！

制服がないわが高校はネクタイとスーツ姿で卒業式に出席することが男子生徒の通例だった。

でも僕はスーツもないいし、買うお金もない。自分らしくいつものジーンズ姿で卒業式に出席するつもりでいたが、居候していた「やまや」のMさんが「私がスーツを買ってあげる。マサキの卒業祝いよ」と松本のメンズショップでスーツ一式をプレゼントしてくれた。

その真新しいスーツを着て、胸を張って卒業式に臨んだ。夜逃げした親は卒業式に出られるはずもない。親の代わりに二十歳の兄と20代半ばのMさんが父兄として出席してくれた。

式を終え、僕ら卒業生が退場するとき、父兄席にいる兄とMさんの姿が目に入った。涙を浮かべた兄の顔が遠目にもわかった。Mさんはハンカチで目頭を押さえていた。

僕も涙がこぼれそうになったが、Mさんたちが用意してくれた晴れ姿なんだから泣き顔は見せられない。泣いてたまるか、と胸を張って歩いた。

卒業式が終わると友人たちが集まって飲み会を開くのだろうけど、僕はすぐに高校を出て白馬村に向かった。自分の境遇がそうさせたのだろうけど、高校の友人たちに僕は普通の別れを告げることができなかった。ナツコにもさよならが言えなかった。

その夜「やまや」では僕の卒業祝いと送別会と誕生会（僕は3月25日生まれである）が開かれた。

僕を応援している人たちがここにいる。この光景を胸に刻もう。苦しいことがあってもくじけてなるものか、と心に誓った。

翌日、僕は東京へ旅立った。友人のクルマで東京まで送ると兄は言ったが、バッグひとつだけの荷物を持って急行アルプス号で上京したかった。家も故郷もすべて捨て、持てる荷物だけで自分を頼りに生きていく覚悟を固めたかったのだ。

急行アルプス号が動きはじめたとき、自分が帰る家はここにはない、松本にはもう帰らない、帰ってたまるか、と決意を固めた。

大好きなイタリア映画『ニュー・シネマ・パラダイス』にこんな場面がある。

最愛の女性に会えなかった主人公のトトは列車でローマに旅立つ。別れ際に老友のアルフレッドは駅のホームでトトを抱き寄せて言い聞かせる。

「帰ってくるんじゃない。郷愁に惑わされるな。すべて忘れろ」

トトはその約束を守って30年間も故郷のシチリアに帰らなかった。この場面を初めて目にしたとき松本を離れた18歳の自分が重なって、涙があふれた。

バックパッカーを自認する僕は、野営道具を背負って地球を自由に歩く旅に誇りを持ち、還暦を過ぎてもバックパッキングの旅を続けているが、その原点は松本を離れたあの日にある。

人はバッグひとつの荷物だけでどこでも生きていけるのだと、18歳の春に知った。

そのとき僕は ③

1977
昭和52年
王選手 756 号ホームラン

日本中がホームランの世界新記録に沸き返った。でもアンチ巨人であまのじゃくの僕は、プロ野球の記録であって、世界記録ではない、と高校生のときから思っていた。

1977
昭和52年
井上陽水 大麻所持容疑で逮捕

フォークソング好きの若者は拓郎派と陽水派に分かれた。僕は前者だが、逮捕のニュースを聞いてテレビに出ない陽水にダークの深みを感じて、むしろファンになった。

1978
昭和53年
インベーダーゲーム大ヒット

高校の近くに『三銃士』という喫茶店があり、そこにインベーダーゲームが置いてあった。いくら使ったのだろう? クニオたちとよく遊び、100円玉がみるみる消えた。

1978
昭和53年
『ザ・ベストテン』放送開始

山口百恵やツイストのランキングが毎週気になった。のちに僕はこの番組の追っかけマンだった松宮一彦さんと共演するラジオ番組を5年近く続けることになる。

1976
昭和51年
猪木 vs アリ異種格闘技戦

中学2年のときに一緒に暮らした祖母がプロレス好きで、松本の祖母の家に寄って一緒に観戦した。「猪木は寝てばかりで、つまらないねえ」が祖母の感想だった。

1976
昭和51年
モントリオール五輪開催

同級生のG藤は10点満点を連発したコマネチの大ファンだった。彼女の体操姿の写真を持っていたが、それはテレビ画面をカメラで撮影した写真で画質が粗かった。

1976
昭和51年
ロッキード事件

英語の授業で宿題を忘れた同級生のT山がY田先生に問い詰められて「記憶にございません」と答えたが、まったくウケず、Y田先生にこっぴどく叱られた。

4 浪人時代

新宿の物置部屋で

新聞奨学生の道を歩みだした僕の配属先は新宿販売所だった。

新宿駅周辺や歌舞伎町など、新宿の中心地を担当する販売所だ。僕の家庭の事情を知った所長が「うちで面倒をみたい」とすぐに手を挙げたらしい。信州人にとって中央線の列車が発着する新宿は馴染みの場所だからという配慮もあったのかもしれない。

通常なら3月末に販売所の人員が入れ替わる。部屋の割り振りもそのときに行なわれるが、実家がなくなった僕は高校を卒業してすぐに上京したので、部屋の空きがなかった。

「しばらくここでがまんしてくれ」と用意された部屋は、食堂の隣の物置だった。

広さは2畳に満たない。キャンプ用のテントにたとえれば4人用くらいのサイズである。

もともと置いてあった荷物はよそに移されたが、ベニヤ板で囲まれた窓がない部屋は物置そのものだった。

裸電球が吊るされた物置部屋にあるのは、僕のバッグと布団だけだ。テレビもラジオも読む本もなく、先輩たちと話をする勇気もなく、僕は物置部屋で膝小僧を抱えて寂しさに耐えた。

翌朝は4時に起こされた。

トラックが販売所の前に停車し、梱包された新聞がドサドサと投げ込まれた。先輩たちは担当区域の部数を受け取り、新聞1部ずつにチラシを入れて（ひとり350部ほど配っていた）、頑丈な新聞配達用の自転車に積み込んでいく。

僕は福島出身のA川先輩に指導されて仕事を学ぶことになった。自転車に大量の新聞を積み込んで出発するA川先輩に続いて、新聞配達先の名前と進路を示す記号が書かれた順路帳を手に自転車を走らせた。

自転車で配るから楽かと思ったが、新宿は一軒家が少ない。ビルの前に自転車を止めて必要な部数を手に抱えてビルの階段や通路を走り回るケースがほとんどだった。

「新宿駅がどっちかわかる？」

いくつものビルを配り終えたあと、A川先輩に質問された。ビルからビルへと狭い路地をくまなく駆け巡っていたから、方向感覚が麻痺していた。

僕が示した方向ははずれており、A川先輩は笑って言った。

「大丈夫。俺も最初はそうだった。でもすぐに慣れるから」

その言葉のとおり、重い自転車の運転も、配達の順番も1週間ほどでマスターできた。

仕事を早く覚えられたのは、ここで生きるしかない、と覚悟を決めた人間の強さかもしれない。

やがて物置部屋から3畳間の部屋に移り、僕と同い年の新人たちも入所して、新宿の新聞販売店の新生活に順応していった。

「新」の言葉遊びみたいだけど、新しいことのはじまりを実感した。

新聞配達のプライド

新宿の新聞販売所には15人の新聞奨学生が暮らしていた。新入りは大学生がひとりと専門学校生が3人、予備校生が僕を含めてふたりという構成だ。仕事も寝食もともにしてひとつ屋根の下で暮らす同志であり、誰もが金銭的に恵まれない家庭環境だったから、仲間意識が強かった。

それに僕らはそれぞれの学校を卒業するまで販売所を出られない。途中でやめたら入学時に新聞社が払ってくれた入学金や授業料を返済しなくてはならず、現実的に不可能だから販売所に居続けるしかなかった。その意識も連帯感を強めていたように思う。

熊本や岩手、茨城など、新聞奨学生の出身地はバラバラだった。

専属のおばちゃんがつくる手料理をみんなでいただく食事どきは、それぞれが訛《なま》った言葉で遠慮なく語らう。出身地から上京したばかりの18歳だから、標準語のアクセントがまだ身についていない。その会話を耳にすると、東京が地方出身者の集まりであり、日本の中心であることを実感させられた。

新聞奨学生は毎朝4時に起きて朝刊を配り、7時頃に配り終えて朝食。8時過ぎにはそれぞれの学校へ出かけ、午後3時頃には帰ってきて夕刊を配り、夕食後は翌日の朝刊に入れる大量のチラシを準備してから眠りにつく、といった日々を過ごしていた。

月末が近づくと配達区域を巡る集金の仕事が加わるが、受験勉強にさしつかえるとの理由で予備校生は集金を免除されていた。

そのぶん、給料は安くて予備校生の僕の月給は3万5千円だった。でも寝食にお金はかからないので、わずかながらでもお金を貯めることもできた。

販売所に住み込む生活は、新聞通になれる利点もあった。

各新聞社の販売所はお互いの新聞を配り合うことがならわしで、わが販売所にも他社の新聞が配達されるから、僕らはすべての新聞を閲覧できた。同じ事件を扱っても新聞社によって視点も意見も異なる。その違いが新鮮であり、勉強にもなった。

新聞配達でつらかったのは雨の日だ。

水を吸収しやすい新聞を濡らさないようにビニールカバーで覆い、「自分は濡れても新聞濡らすな」の精神で1部1部丁寧に各家に送り届けていた。

新聞は膨大な数の記者や労働者が尽力して完成させた作品だ。それを読者に届ける自分は、最後のバトンを託されたアンカーなのだ。

まかされた自分に責任とプライドを感じて新聞を配り続けた。

きれいごとに思われるかもしれないけど、そう信じることで僕はつらい仕事を乗り切ることができたのである。

夜明け前の新宿二丁目

朝が得意な人間であることを、新聞配達をはじめてから知った。

朝刊を積んだトラックが朝4時に到着すると騒々しいベルが販売所内に響きわたるのだが、僕はベルに起こされることなく、毎朝4時前に起きて朝刊の到着を待っていた。

約350部の朝刊にチラシを入れたら、スポーツ新聞や業界新聞なども自転車に積んで早朝の街へとペダルを漕ぎだす。出発の時間は各自バラバラだし、その日のチラシの量によっても異なるが、僕は4時半くらいに配達に出かけていた。

担当地域に着くと、塀や電柱など、決まった場所に自転車を立てかけて（前カゴに新聞を山積みした自転車はバランスが悪く、スタンドを立てると倒れてしまう）、路地や雑居ビルの階段を駆け上って新聞をドアのポストに入れていく。5階以上のビルはエレベーターがついているが、僕の配達区域はエレベーターがなくて階段しかないビルがほとんどだった。

走る必要はなかったし、ゆっくりと配る仲間もいたが、僕は息を切らせて静かな早朝の街を走るのが好きだった。配ることに集中して、他は何も考えない。頭に浮かべるのはジャクソン・ブラウンの曲『ランニング・オン・エンプティ』だ。

そうやって全力で走って、350部に及ぶ新聞を配り終えると達成感に包まれる。高校卒業までアルバイト経験がなかった僕だが、体を張った新聞配達は自分に合っているようにも思えた。

僕が担当した配達区域は新宿二丁目だった。

アジア最大のゲイタウンとして知られる街である。

当時は多くのゲイバーが朝方まで営業しており、ゲイバーが閉店する時間帯に僕は朝刊を配るから、女装した店の男性たちとしょっちゅう鉢合わせをした。

ケバい化粧を施してオネエ言葉をしゃべる彼らと初めて間近で対面したときは目が点になった。いまでこそマツコ・デラックスのような女装キャラが一般に認知されているが、40年以上前は市民権を得てなかった。松本から出てきたばかりの18歳の僕には刺激が強かった。

人生の場数を踏んでいる彼らは、田舎から出てきて毎朝一生懸命配達する純朴な青年がかわいかったんだと思う。

彼女たち(彼らなのかな?)は「うちへおいで。一緒に遊ばない?」などと言い寄って僕をからかった。

最初はどぎまぎしたが、毎日のことだから次第に免疫ができたし、顔を覚えられて「おはよう。今日もがんばってるわね」と温かい声をかけてもらえるようになった。

ささやかなことなんだけど、彼女たちからあいさつしてもらえると胸がほっこりして、がんばる気になれた。

これも労働の喜びなんだと18歳の僕は思った。

ゲイタウンの雑居ビル

担当していた配達区域には講読紙をしょっちゅう変える読者がいた。他紙も読みたいから、という理由ではなく、契約変更を繰り返して、契約のたびにもらえる販促品が目当ての人々である。

新聞販売所では新契約の読者に販促品を渡すことが通例となっており、販売所の倉庫には販促用の洗剤などが積まれていた。新契約は新聞配達員にも利点があって、契約してもらえると1軒につきいくらかの報奨金をもらえた。正確に覚えていないが、1ヶ月契約だと500円。半年以上の契約になると800円程度もらえた気がする。

新聞奨学生のなかにはその手の仕事が得意で小遣い稼ぎをしている仲間もいたが、僕は苦手だった。受験生だったし、余計な時間と手間をかけてお金を稼ぐ気がそもそもなかった。

あるとき、新聞を契約してやるから来い、と販売所に連絡があり、配達区域内のオフィスに僕は呼び出された。

新宿二丁目の雑居ビルである。2階にあるオフィスへ入ると、30代らしきパンチパーマの男がソファに座っていて、僕を迎えた。

この一帯を朝から全力で走って新聞を配る僕の姿を見かけたそうで、おまえを気に入ったから契約してやる、と男は言った。

「月にいくらもらってるんだ？」と聞かれて素直に答えたら、男は鼻で笑った。

「たったそれだけか。新聞配達なんかやめてうちで働け。いまの給料の10倍払ってやるぞ」

若い男が接客する店を経営しているから、そこで働け。おまえなら客がつく、と言われた。

35万円以上の給料には驚いたけど、男のもとで働く気はなかった。まっとうに思えない仕事をしてはならないと思っていたし、男が口にする世界が単純に怖かったのだ。

申し出を断ると男は「おまえを抱きたい。抱かせてくれたら3万円払う」と言った。

心臓がバクバクした。怖かったし、憤《いきどお》りもあった。こいつは金で動く若造だと自分が値踏みされたことがくやしかったのだ。

僕は部屋を飛び出し、走って新聞販売所へ逃げ帰った。所長に事態を報告すると、そのビル周辺を先輩に担当させて、男から僕を遠ざける配慮をしてくれた。

おかげでそれ以降は男と顔を合わせずにすんだが、思わぬ形で男の顔を見た。

販売所の食堂のテレビで人気番組の『テレビ三面記事ウィークエンダー』を観ていたら、あの男の顔が画面に映し出された。

「こいつは新宿二丁目の店で若い男たちに売春をさせてまして……」と、男が逮捕された経緯をリポーターのタレントが語った。

溜飲《りゅういん》が下がるって、こういうことだなと思った。

わが西武ライオンズ

松本を離れて千葉県の津田沼で暮らしていた母は、僕が新宿で新聞配達をはじめた時期に埼玉県の音響会社の寮母になる仕事を得て、入間市に移り住んだ。

津田沼に暮らして3ヶ月も経たないうちに転校させられた中学生の弟はつらかったろうが、住み込みでまかないの仕事をする寮母の職場環境は母子家庭には好ましかった。

離れの広い社宅が用意されてプライバシーが保たれたし、自分たちの食事もやりくりできる。学校から帰ると家に母がいることも、弟にとって良好な環境だった思う。

僕は住んだことがないくせに、入間市を故郷だと思い込むことにした。

海援隊の『母に捧げるバラード』の冒頭で、武田鉄矢は「僕に故郷なんかなくなってしまったんじゃないかと。そしてひとつ残っている故郷があるとしたらお母さん、それはあなた自身です」と語るが、僕もそうしようと思った。

松本を捨てた僕は自分が帰る場所が欲しかったし、わが子がいつでも帰ってこられる場所をつくることが母親にとっての生きる目標だったはずだ。親孝行も兼ねて、たまの休みに僕は新たな故郷である入間市へ里帰りをした。

そんな経緯で自分の帰る家が松本ではなく埼玉県になったとき、九州からプロ野球の球団が所沢市に来て、西武ライオンズが誕生した。

入間市は所沢市に隣接した西武線沿線の町である。おらが町にプロ野球の球団が来たのだ。松本を離れて埼玉県に新たな家ができた僕らは、九州を離れて埼玉県にやってきた新生ライオンズに自分たちを重ねた。

阪神から田淵幸一が、ロッテから野村克也もやってきて、大いに活躍が期待された。ジャングル大帝レオのシンボルマークも誇らしくて、僕らの希望の星となった。

ところがまったく勝てなかった。

開幕からなんと12連敗。やっと勝ったと思ったらまた連敗の繰り返し。初年度は最下位に終わって、くやしい思いを味わった。

だから4年目に初優勝したときは涙が出るくらいうれしかった。僕らの未来も拓けたのである。

ちなみに僕が働いていた新聞販売所は、有名な球団の親会社でもあった。

その球団が好きだからその新聞社を選んだわけではない。たまたま僕の高校に奨学生の案内を送ってきたので、そこを選んだのだ。

小学生のときはナゴヤ球場まで応援しに行くほどだったけど、その新聞を配っているときに、プロ野球のルールを無視して無理やり入団した怪物ピッチャーもいたものだから、僕はその球団が嫌いになった。

いまでもその球団が好きではなく、西武ファンであり続けている。

半年ぶりに会った父

新聞配達の仕事にも、販売所に住み込みの共同生活にも慣れた頃、兄から連絡が入った。父が上京する。僕らに会いたがっているのでつきあってくれ、とのことだった。

梅雨どきだったと思う。雨が降り続いて、新聞配達に出るたびに全身がびしょ濡れになっていた記憶がある。夕刊がない日曜日だったので、3人で食べる夕食を楽しみに、父が上京する浅草へ出かけた。

約半年ぶりに会う父は、少し痩せていた。庶民的な居酒屋に入るやいなや、父は自分の境遇を兄と僕に語りはじめた。

松本を離れてから各地を転々として、現在は栃木県の現場で建設の仕事をしている（浅草で会うことになったのは、父が浅草を発着する東武線の今市に住んでいたからだ）。この年になって人に雇われるのは本当につらい、身を粉にして働いている、というような話を父は延々と語った。

僕らに会えてうれしかったのだろう。酒が進んだこともあり、「松本を離れてから本当に大変だった」と、父は夜逃げ後の苦労話を繰り返し語った。

僕らは一方的に父の話を聞かされた。家族を置いて先に松本から逃げた父が、悲劇の主人公のように身の上話をする姿に憤《いきどお》りを感じた。

父さんだけじゃないんだよ！

僕らだって大変だったんだ。いまも大変だし、これからも大変な日々が続くんだ。それくらいわかるだろ。なのに、なぜ僕らの話を聞こうとしない？　息子たちがどこでどんな生活をしているのか気にならないのか！　家族をいたわらない男が、父親といえるのか！

父に怒りをぶつけたくなったが、それを口にすると父は落ち込むだろうからこらえた。

父がトイレに立ったとき、兄が「マサキ、ごめんな」と口にしたものだから、父の好きなように語らせようと思った。

居酒屋を出てビジネスホテルに泊まる父と別れ、兄は池袋方面へ、僕は新宿方面へ向かった。

父は最後まで僕らの近況をたずねようとはしなかった。「苦労かけてすまなかった」の言葉もなかった。父は跡取り息子として甘やかされて育った自己中心型の人間だ。坊ちゃん育ちの父の情けなさを垣間見た思いだが、その血が僕らには流れている。自分もああいう父親になる可能性がある。絶対になるものか、と心に固く誓った。

自分のことしか考えていない父と会って、はっきりしたことがある。

夜逃げするときに父が語った「来年はマサキを大学に行かせてやる」という約束は、その場しのぎの空言だったのである。

これからずっと、僕は自分の力で生きていかねばならないのだ。

僕は自由だ！

僕が通っていた予備校は高田馬場にあった。高3の夏休みに夏期講習を受けた予備校である。あのときは同じ教室の生徒に仲間意識を感じたが、新聞奨学生として通っている今年は、周囲の生徒たちとの隔たりを強く感じた。

浪人生は肩身が狭い。受験勉強に追われる暗黒の毎日だ。そんなことを嘆く予備校生の声を耳にするたびに僕は腹立たしさを覚えた。

甘えてんじゃねえよ！　おまえたちは勉強だけしていればいいじゃないか。僕は早朝から朝刊を配り、午後3時までには販売所に帰って夕刊を配らねばならない。最後まで授業を受けられず、1日6時間は労働にとられる。そうしないと生きていけないんだ。勉強だけしていればいい、甘えた予備校生とは違うんだ。

そう思い込んで自分から壁をつくっていたから、友達ができるはずもなく、予備校では孤立感を味わった。予備校の帰りに揃いのトレーナーを着て青春を謳歌している大学生たちに会うと下を向いたり、目を逸《そ》らしたりした。

そんな悶々とした日々を過ごしているとき、高校の卒業生名簿が送られてきた。個人情報の保護なんてない時代だから、卒業生の実家の連絡先も現住所もすべて掲載されていた。

つきあっていたナツコの連絡先を見て、ドキッとした。

彼女の現住所は西新宿だった。販売所から歩いていける距離にナツコが暮らしている。そう思うとうれしかったけど、女子大生の彼女と自分は身分が違う。会うわけにはいかないと、現実を省《かえり》みて落ち込んだ。

そして自分の連絡先を見ると、実家の住所が空欄になっていた。

自分だけ何も書かれてない名簿を見て失笑したが、突然ひらめいた。

目からウロコが落ちる思いを味わった。

自分は不幸な18歳だと思い込んでいたけど、そうじゃない！

僕の友人、ほとんどの同級生たちは親から援助してもらって暮らしている。巣立ちできてない子供なんだ。援助を受けている親から、将来は松本に帰れとか、どのような道を進むべきか諭されているかもしれない。

でも僕には束縛されるものが何もない。しがらみもなければ、敷かれたレールもない。

どこで暮らして、何をしたってかまわない。野垂れ死ぬこともできるくらい、自由なのだ。

自分を信じて、進むべき道を自分で探して、自分の足で歩んでいける。名簿の空欄が示すとおり、僕の未来も白紙なのだ。僕は本物の自由を得られた、恵まれた若者なのだ。

そう開き直ることで、上を向くことができた。未来が拓かれた気がした。

そして、自分の境遇を嘆くような暗い生き方はもうやめよう、と心に誓った。

共同トイレ付きの新居

新聞奨学生として臨んだ初めての大学入試は、惨敗に終わった。

実力もないくせに、授業料の安さとアルバイトしやすい環境を優先して首都圏の国立大学を志願した自分が愚かだった。

大学生にはなれなかったが、受験の失敗よりも新聞配達の仕事を1年間やり遂げた達成感と、新聞販売所に拘束される日々から解放される喜びのほうが大きかった。誰にも頼らず自活する自由の身になりたかったのである。

予備校生としての新聞奨学生の任期を3月で終えた僕は、新宿の新聞販売所を退所して高円寺でアパートを探した。

土地勘があって職種も多い新宿でアルバイトをするつもりでいたから、新宿へのアクセスと家賃の相場のバランスがちょうどいい高円寺を選んだのだが、中学時代に聴きまくった吉田拓郎のアルバム『元気です。』に『高円寺』という曲があって、その歌詞の影響も少しあった。

新聞販売所の共同生活で不便を感じた経験から、トイレ付きの条件で探したら「共同トイレ付き4畳半」という物件が見つかった。

記載ミスだと、最初は思った。

アパートは共同トイレか、トイレ付きのどちらかしかありえない。しかし、実際にその物件を見て納得した。

そのアパートは両側に扉のあるトイレがふたつの部屋の間にあり、どちらの部屋からも出入りができる2部屋限定のトイレになっていたのだ。

トイレを利用する場合は、扉の外鍵をはずしてトイレに入り、反対側の扉の内鍵をかける（内鍵をかけないと隣の部屋の住人が開ける可能性がある）。そして用足しが終わったら内鍵をはずし（内鍵をはずさないと隣の住人がトイレに入れない）、トイレから出たら扉の外鍵をかける（外鍵をかけないと隣の住人がトイレを通してこちらの部屋に侵入できてしまう）といったシステムになっていた。

面倒ではあったけど、隣の住人と自分専用のトイレだし、家賃が1万7千円の安さだったこともあり、僕は共同トイレ付きの部屋を借りた。小さいながらも流し台があって、ガスコンロが置けるキッチンがあることも決め手となった。外食はお金がかかるから、自炊する気でいたのだ。

1年間の新聞配達で貯めたお金は、敷金やキッチン用品などの購入でほとんど消えた。でも自分の城を自分が1年間働いたお金で持てたことに満足感を覚えた。

新聞販売所ではまかないのおばさんが料理を提供してくれたけど、これからはすべて自分で栄養バランスを考えつつ自炊生活をすることになる。

大人の階段をまた1段上った気がした。

兄と年上の彼女と焼きおにぎり

新たに借りた高円寺のアパートに兄からのハガキが届いた。経済的な理由で電話が持てなかったから、僕らは郵便でしか連絡のとりようがなかったのだ。

ハガキには、夕飯をおごってやるから池袋駅へ○月○日においで、と書いてあった。

兄は丸ノ内線の茗荷谷駅に住みながら池袋の喫茶店でアルバイトをしている。金銭的に余裕はないはずだが、素直に甘えたい。初めて兄に誘われたことがうれしくて、約束の時間に僕は池袋駅へ出かけた。

兄はひとりではなかった。目がクリっとした小動物のような愛らしい女性が隣にいた。

僕を見て「えーっ、似てない。弟さんのほうがかっこいい」と口にした。

そう言われて悪い気がするはずもない。でもおだてた感じがなく、女性の語り口が自然で好感が持てた。裏表のない素直な女性だと思った。

兄と女性は僕を寿司屋に連れていってくれた。東京で寿司屋に入るなんて初めてだ。「好きなものを頼みな」と兄は言ったけど、どれをどう注文していいかわからず、兄にまかせた。

女性は兄よりも年上で小学校の先生をしているという。どうやって知り合ったのか知らないけど、きっかけはどうでもよかった。いつもより目が垂れて見える兄の笑顔を見ていると僕も幸福感に包まれた。

兄は茗荷谷の3畳間の安アパートで貧しい学生生活を過ごしている。理系の私大の高い学費と生活費を稼ぐために喫茶店でアルバイトをしながら、大学の授業やレポートにも忙殺される毎日を過ごしている。まだ二十歳ちょっとの若者なのに、遊びたい年頃なのに、父親代わりになって母や弟たちを精神的にも支えている。

そんなふうに気を張って生きている兄に心の拠り所となる女性が現れたことがうれしかったし、この1年以上見たことがない無邪気な兄の笑顔を見られたことで胸がいっぱいになり、せっかくのお寿司なのにあまりたくさん食べることはできなかった。

それからしばらくして、兄と彼女は高円寺の僕のアパートにやってきた。

僕の部屋には人をもてなせるものが何もない。何かしてもてなそうと、ごはんの残りでおにぎりをつくり、砂糖を混ぜた味噌をのせて買ったばかりのオーブントースターで焼いた。

寿司のお礼が焼きおにぎりでは釣り合いがとれないけど、女性は「おいしい！　料理上手じゃない」と、褒めてくれた。

ごはんを握って、砂糖味噌をのせて焼いただけのモノを料理といっていいのか、と苦笑したが、兄と女性は「おいしい、おいしい」と喜んで食べてくれた。

あれから40年以上が経つのに、「マサやんの焼きおにぎりはおいしかった」と、いまでも義姉さんは口にする。

ジーンズショップのアルバイト生活

高校時代は毎日ジーンズで通学するくらいジーンズが好きだった。

高校生はジーンズにお金をかけられなかったので、漂白剤でブルージーンズをブリーチアウトしたり、家のミシンを使って古いジーンズをパッチワークにアレンジしたりした。

それほどジーンズが好きで、ジーンズショップに憧れていたものだから、新宿のジーンズショップの店頭でアルバイト募集の告知を見たときは、ここで働こうと決めた。

その店は地上階と地下1階、さらに地下街のサブナードとつながった地下2階にも売り場がある大きな店舗だった。三平ストアというスーパーマーケットも営んでおり、偶然にも社長と店長は長野県出身で、正社員も長野県出身者が多かった。面接のときに店長は「松本出身か」と口にしてくれて、親しみを感じた。

アルバイトは早番と遅番を合わせて30人以上いたと思う。10時から17時まで働く早番の僕は、地下2階のブルージーンズコーナーの担当になった。

販売の仕事は初めてだったが、すぐに慣れた。「何かお探しですか?」とこちらから声をかける必要はなかった。ほとんどの客が買う気満々で来店するからサイズ選びなどを手助けすればよかった。

ピチピチにはくジーンズがよく売れて、若い女性客たちはジッパーを閉めるのに苦労するくらいのサイズを好んで買っていった。

時給は500円に満たなかったが、自分が好きなモノを扱えることに幸せを感じたし、三平ストアの従業員食堂で昼食が食べられるなど、労働環境も職場の人間関係も良好だった。

アルバイト仲間も個性豊かな若者が多く、のちに作家になる辻仁成さんがいたし、小劇団の役者やシンガー・ソングライター、関東一の暴走族の総長（その後俳優になる宇梶剛士だった）とつきあっていた美少女なども働いていた。

彼らと一緒に働く日々は刺激的だった。アルバイト終了後にみんなで食事に行くこともあり（貧乏な僕は2回に1回くらいしか行けなかった）、毎日が充実していた。部屋に泊まりにいける女性にも出逢い、ふたりで朝を迎える悦びも知った。

その反面、受験勉強には身が入らなくなった。新宿にある授業料が格安の夜学の予備校に入学したものの、面倒くさくなって次第に足が遠のいた。

あの『木綿のハンカチーフ』のように僕は都会の絵の具に染まりつつあったのだ。

苦労して大学進学をめざす意味はないんじゃないか、とも考えるようになった。

でもそれでいいのか？　自分はどう生きるべきなんだ？　と先行きが見えない不安にさいなまれる悶々とした日々を送った。

そんなとき、僕に一筋の光を照らす女性と再会を果たす。

いまのキミはピカピカに光って

ジーンズショップのアルバイトを終え、高円寺のアパートへ帰るときだった。

新宿の地下街を歩いていたら、前方から歩いてきた女性が立ち止まった。

ナツコだった。

1年半ぶりに会う二十歳のナツコは、薄化粧していることもあって、高校時代よりもずっときれいになっていた。人々が慌ただしく動く地下街の雑踏で、彼女だけがスポットライトを浴びているかのように僕の目には映った。

「いま、どうしてるの？」

ナツコに聞かれて、僕は松本を離れてからの生きざまを語った。

高3の冬に家業が倒産して以降、うやむやな状態で別れたままだったが、わだかまりを感じることなく、僕は素直に自分を語ることができた。

西新宿で暮らすナツコは丸ノ内線沿いにある短大に通っていた。

「近くに住んでるから会いにいくね」と、ナツコは言った。

約束どおり、ナツコは僕が働くジーンズショップに現れた。

彼女はジーンズを買うと言い、僕は次々とジーンズを試着させた。いつになく張り切る僕を、同僚の女性たちはにやにや笑って見ていた。僕の顔もにやけていたかもしれない。

ナツコは細身のブルージーンズを購入した。彼女のジーンズ姿はとてもキュートだった。ヒットしていた宮崎美子のCM『いまのキミはピカピカに光って』の映像が浮かんだ。僕がすすめたジーンズを彼女が買ってくれたこともうれしかった。

その後もナツコはちょくちょく店に顔を出すようになった。

毎回買い物はできないし、僕は勤務時間中だからあからさまに私語は交わせない。あいさつ程度の話をするだけだったけど、彼女に会えるだけで幸せだった。

僕の部屋には電話がなかったから、ナツコはたまに手紙もくれた。手書きの文字と彼女の言葉が僕の心の支えになった。

ナツコはつきあっている男性がいるかもしれない。僕に対する優しさは同情かもしれない。真意は聞けなかったが、それでもかまわなかった。昔からの自分を知る彼女の応援が、大好きだった彼女からの励ましの言葉が胸に響いた。

ジーンズショップのアルバイトの暮らしに流されて、人生の目標を失いつつあった僕は、再び大学をめざす決意を固めた。

自分が何をすべきか、歩む道を探すために大学生となって自分を高めよう。

美しく輝いている女子大生のナツコと肩を並べられる大学生になるんだ。

決意を新たにして、おろそかになっていた受験勉強に励んだ。

社会福祉の大学へ

父は金が幸福の尺度であり、金のために働く人間だった。自分もその血を引き継いでいるはずだから、人のため、世のために働く人間になりたい。

その思いから僕は社会福祉系の大学へ進む決意を固めた。金のために働いて、金で不幸になった父に対する反発心が、社会福祉系の道を歩むモチベーションのひとつになった。

ありがたいことに社会福祉系の大学は私大でも授業料が安かった。東京の原宿にある単科大学と名古屋市内にある単科大学を志望校に定めたが、どちらも国公立大に準じて年間の授業料は18万円だった。それならアルバイトでまかなえる。自分だけの力で大学を卒業できると思った。

ひとり暮らしの身でジーンズショップのアルバイトと受験勉強を両立させることはむずかしかったし、予備校に頼らない独学は不安も大きかったけど、事情を知るアルバイト仲間の応援に救われた。手紙をくれたり、学校の帰りにジーンズショップに立ち寄って会いにきてくれたりするナツコの存在も大きかった。

「大丈夫。絶対に受かるわよ」とナツコからもらった合格祈願のお守りは僕の心の支えとなり、肌身離さず持って受験勉強に励んだ。

名古屋の単科大学は夜間部もあるので、そこを滑り止めにして、計三つの入試に臨んだ。

残念ながら原宿の大学は不合格だった。残るは名古屋の大学の一部と二部だが、受かったとしても東京を離れなければならないことは確実となった。

名古屋の大学の合格発表前日、僕はアルバイトの仲間たちに告げた。

「合格してたら黒のスリムジーンズをはいてくる。ブルージーンズだったら……、察してね」

結果は昼間の一部が不合格で、夜間の二部は合格だった。

滑り止めしか受からなかったが、高校卒業から2年、ひとりでもがき続けた先に道が拓けたことがうれしかった。

母親に電話で結果を報告したら、急に涙がこぼれてしまい、僕はしばらく電話ボックスで泣いた。ナツコに電話したときも「ありがとう」と口にしたら、涙がこぼれた。でもそれは母親への涙とは意味合いが異なる涙でもあった。

翌日、黒のスリムジーンズで出かけると、みんなが大歓声で僕を迎えてくれた。店にいたお客さんが何事かと驚くほどの歓声に包まれて僕は胸が詰まった。

そして二十歳で迎えた春。

僕は4年間の大学生活を送るために名古屋へ引っ越した。

短大を卒業したナツコは、東京で就職して大手企業のＯＬになった。

大きな隔たりを感じた。それを埋めるエネルギーも自信もなく、ナツコに別れを告げて新天地の名古屋での生活がスタートした。

そのとき僕は 4

1980
昭和55年
新宿西口バス放火事件

アルバイト仲間の女性とデートした帰り道に事件直後の現場を通った。救急車とパトカーと野次馬の数に驚き、ニュースで事件の概要を知って衝撃を受けた。

1980
昭和55年
山口百恵引退

引退する日が近づくにつれ、山口百恵は美しくなっていったように思う。特別なファンではなかったけど、実年齢以上に大人びた雰囲気と潔い生き方には惹かれた。

1980
昭和55年
ジョン・レノン死亡

アルバイト先の隣がレコードショップで、店頭に『ダブルファンタジー』のアルバムが並び、1日中ジョン・レノンの曲が流れた。師走の寒さが悲しみを増幅させた。

1980
昭和55年
AORミュージックがヒット

ボズ・スキャッグスが武道館で公演を行ない、受験勉強の息抜きのつもりでナツコと出かけた。アダルト・オリエンテッド・ロックと呼ぶにふさわしい演奏に酔った。

1979
昭和54年
『ズームイン!! 朝!』放送開始

新聞配達が終わって、朝ごはんを食べるときに販売所の食堂のテレビで『ズームイン!! 朝!』を観ていた。配達地域に英会話のウィッキーさんが出現しないかなと思った。

1979
昭和54年
江川卓プロ野球初登板

巨人の親会社の新聞販売所で働いていたこともあり、職場の仲間たちと販売所の食堂で阪神戦に初登板した江川投手を観た。僕は応援する気になれなかった。

1979
昭和54年
ソニー、ウォークマン発売

新聞販売所の先輩が購入。聴かせてもらったら音がよくて感動した。聴いた曲はその年にデビューした久保田早紀の『異邦人』だ。頭に焼きついて離れない名曲だった。

5 大学時代

夜間部の大学生活

名古屋の大学生活がはじまった。

入学した大学は市内の中心部あり、僕は自転車で大学へ通える距離にあるアパートを借りた。地下鉄の駅も銭湯もスーパーも近くにあって利便性がいいのに、家賃はそれほど高くない。高円寺と同じ家賃でキッチンとトイレ付きの6畳の部屋にランクアップできた。

僕の部屋には電話も設置された。ひとりだけ遠く離れた名古屋に暮らす僕が寂しい思いをしなくてすむようにと、兄と母がお金を出し合って引いてくれたのだ。固定電話の加入料は8万円もしたけど、入学祝いと成人のお祝いを兼ねた特別なプレゼントだと兄と母は言った。

松本を離れてからずっとひとりぼっちの部屋だったんだけど、電話線が通ったことで世の中とつながった気がした。この部屋が日本全国とつながっている感覚になれて、電話機が愛《いと》おしい存在に思えた。

その気になれば、東京で暮らすナツコの部屋にも電話をかけられる。ナツコの部屋と僕の部屋が電話線によってつながっていることがわかって感動したけど、電話をかける勇気はなかった。遠く離れた東京で暮らすナツコの声を自分の部屋で聞いたら切なくなる気がしたからだ。

部屋が落ち着いた頃、大学の授業がはじまった。

憧れだった大学生活だけど、夜間部だから明るいキャンパスライフの雰囲気はなかった。

夜間部は午後6時前にはじまり、2科目の授業があって、午後9時頃に終わる。昼間部と変わらない単位がとれると大学側は主張していたが、1日に何科目もの授業を受けられる昼間部と同じレベルのはずがないことは、入学した生徒の誰もが覚悟していた。

夜間部の学生は2種類に分類できる。昼間部に合格できなくて夜間部に入学した学生と、就職した社会人でありながら学問を志す学生だ。

前者は現役で入学した子が多いこともあって幼さを感じたが、後者は大人の学生が多かった。僕は二十歳を過ぎて大学に入った学生なので、大人の学生が多いことがありがたかった。似た境遇だから腹を割って話せる学友が何人かできた。

でも社会福祉学部に関しては違和感を持った。お金のことばかり考える父への反発もあって、人のために働く人間になろうと進学した社会福祉学部だったが、自分は真面目な人間ではないこと、社会福祉には向いていないことを思い知らされた。

学内には積極的に障害者施設などへボランティア活動に出かける学生もいるけど、自分はそこまでできない。立派な人間になるために我慢してやらなきゃ、と思い込む自分に嫌悪感を持ってしまい、社会福祉関係の道に進む気は入学してすぐになくなった。

でも自分だけではなかった。

似たようなことを感じた学友がいたことが救いとなった。

アルバイト生活を楽しむ

大学生活とともにアルバイト生活もはじまった。

仕送りがない大学生だから、学費も生活費も自分でまかなわなくてはならず、生きていくためにアルバイトは欠かせないわけだが、その境遇を僕はプラスにとらえた。

アルバイトの立場でいろんな経験を重ねることは最高の社会勉強になる。そう信じて、様々な職種のアルバイトを経験しようと考えた。

昼間は時間が空けられる夜間部の学生だから、アルバイトはいくらでもある。職探しで役立ったのは、100円で売られていた『日刊アルバイトニュース』と、名古屋市内の中心部にあった学徒援護会だ(ややこしいことに『日刊アルバイトニュース』は学生援護会が発行していた)。

職種や求人数は『日刊アルバイトニュース』のほうが多かったが、学徒援護会では1日のみの短期アルバイトもたくさん紹介していて、日払いですぐに給料がもらえる利点があった。学徒援護会では午前10時くらいに職員が事務所の壁に求人案内のビラが貼られる。学生たちはめぼしい内容の職種を見つけ出して職員に紹介してもらう。東京の学徒援護会は希望者が多かったため人気のアルバイトは抽選で決めたが、名古屋の学徒援護会は早い者勝ちだった。

引っ越しの手伝いや交通誘導、自動販売機の設置補助など、僕も学徒援護会で斡旋してもらったアルバイトをいくつか経験した。短期のアルバイトだから誰でもすぐにできる仕事が多い。最初は楽でいいなと思ったが、途中からある程度長く続けられるアルバイトに変更した。

アルバイトを続けなくてはならない身なんだから、働きがいを感じられる仕事のほうがいい。それに職場の人々とも親しくなれるほうが日々の生活が充実する。でもずっと同じアルバイトをしていたら、いろんな職場で働く社会勉強にはならないので、夏休みまでとか、冬休みまでというように、数ヶ月単位の中期アルバイトを繰り返そうと考えた。

最初に選んだ中期アルバイトは、名古屋市内の熱田区にある中央卸売市場の積み込み作業だ。朝5時の出勤だったけど、新聞配達の経験から早朝の仕事には自信があったし、市場は朝から活気があって胸が弾んだ。

競りの仕組みや掛け声の意味は理解できなかったけど、プロフェッショナルたちの威勢のいい声を聞くだけでも元気なエネルギーを分けてもらえる気分になれた。社員たちが「おい、サイトウ。これを運べ」と荒っぽいけど、親しみが感じられる態度で接してくれることにも居心地のよさを感じた。

夏休みがはじまる前に中央卸売市場のアルバイトはやめたけど、「おまえはよく働いた。いつでも戻ってこい」と言われて温かい気持ちになれた。

やめるときに職場で惜しまれること。それを目標にアルバイト生活を積極的に楽しんでいこうと決めた。

運転免許の格安取得術

前期の講義が終わり、母と弟が暮らす埼玉県の入間市に帰省した最初の夏休みに、僕は普通自動車の運転免許を取得した。

一般的には教習所に入所して卒業検定に合格してから、各都道府県の運転免許センターで適性試験と学科試験を受ける流れになっているが、教習所に通うお金がなかった僕は技能試験も運転免許センターでチャレンジした。一発試験と呼ばれる方法である。

一発試験なら受験料と手数料だけですむ。10回くらい落ちたとしても、教習所に通うより安い。教習所に通い続ける時間も手間もかからない。いつか受かればいいさ、と軽い気持ちで一発試験を選んだ。当時、西武池袋線の大泉学園駅の近くには公安委員会の指定を受けていない未公認の自動車教習所があった。1時間単位の指導を受けられるその教習所で5時間ほど技能の講習を受け、府中の運転免許センターに出かけて仮免の技能試験に臨んだ。

受験者は120人以上いた。そのほとんどが運転免許の取り消しをくらったドライバーだ。初めて運転免許を取得する受験者は僕くらいで、年齢も飛び抜けて若かった。

自動車教習所の場合は卒検のコースを覚えなくてはならないが、運転免許センターの技能試験はその必要がなかった。警視庁の試験官が助手席に乗り込み、「次の交差点を右折して、そのあとクランクに入って」というように指示するので、そのとおりにクルマを走らせればよかった。府中のコースはとても広かった。見通しの悪いカーブなどには、生け垣に少年のマネキン人形が隠れていたり、横断歩道の手前に自転車が置いてあったりして手が込んでいた。それが愉快に感じられて、僕はアトラクションを楽しむ気分で試験官の指示どおり車を走らせた。１回で受かりっこないと思っていたから、緊張することなくコース内のドライブを楽しんだ。

その気楽な心構えと念入りな安全確認が功を奏したのだろう。１２０名中合格者が４名という難関を僕は突破した。試験官が「１回で合格する人はそういない。天狗《てんぐ》にならないように」と僕に釘を刺したほどだ。

仮免に受かってからは、兄が友人から格安で譲り受けたブルーバードに『仮免許練習中』と書いたダンボール紙を張り、路上運転の練習をした。運転免許を所持している母を助手席に乗せて母の家の近所を走り回ったが、僕とのドライブが母は楽しかったと思う。僕も充実した時間を過ごせた。

そして本免も１回で合格。未公認の教習所の講習費を含めて数万円で普通自動車の運転免許を取得することに成功した。

運転免許を取得したおかげで、アルバイトの幅が広がった。名古屋に戻った僕は、軽トラでスーパーへ食品を配達する職種についた。

効率よく稼げるようになったし、名古屋市内の地理にも詳しくなり、生活がより充実した。

オートバイの旅人になる

大学に入った僕は、奨学金を受けられることになった。母子家庭を対象にした埼玉県の特別奨学金である（埼玉県で暮らす母は父と離婚が成立しており、僕は母の扶養家族になった）。卒業後に全額返済しなくてはならないが、年間20万円の支給はありがたい。僕は初年度の奨学金を注ぎ込んで、中古のオートバイを買うことにした。

小学生のときS木先生が乗るオートバイに多大なる影響を受けたし、東京で不自由な浪人生活を2年間過ごした反動もあって、大学に入ったらどこへでも自由に出かけられるオートバイに乗ろうと決めていた。80年代に入ってオートバイがブームとなって、多くの若者がオートバイに夢中になった時代でもある。

買ったのはホンダのXL250Sというオフロードモデルだ。

車検がなくて維持費が安い。シンプルな単気筒エンジンで、世界に誇れるスーパーカブのように壊れにくくて燃費もいい。高速道路も林道も走れて、荷物もたっぷり積めるから、日本を旅するのに最適のオートバイだった。

オートバイを買ったあとは、テントやマット、寝袋、調理器具などのキャンプ道具も買った。初期投資費用はかかるものの、どこでも寝泊まりできる道具があれば宿泊代がかからない。自炊すれば食費も安くすむ。そんな考えからオートバイにキャンプ道具を積んで旅に出たわけだが、たちまち夢中になった。

オートバイは時間に束縛されることもなく、自分の意志で気の向くままに旅ができる。あの山の向こうへ、見たことがない景色が広がる未知の世界へと、どこまでも走っていける。キャンプ道具を積んでいるから日が暮れたら適当な場所に寝泊まりできる。地球のどこでも一夜限りの家になる感覚を味わって、自分の世界が限りなく広がった。

旅先で出会うライダーとのふれあいにも感動した。ライダーはすれ違いざまにお互いが手を挙げてツーリングサインを交わす。見ず知らずの他人とすれ違う一瞬の出会いだけど、仲間意識が感じられて胸が温まった。

そもそも旅人はお互いが対等な立場にいる。日常生活の僕は家も故郷も失った貧乏な学生だし、2浪して夜間部に入った落ちこぼれなんだけど、旅先では家柄も学歴も収入も年齢も関係ない。旅の空の下では、誰もが平等な旅人なのだ。

オートバイで旅に出かけるたびに自分が成長し、心の宝物が増えていく感覚に魅せられて、僕はオートバイの自由な旅を重ねた。

夏休みまでアルバイトで稼ぎ、夏休みはオートバイで旅に出る。そんな学生生活を続けて、1年目の夏休みは紀伊半島と能登半島、2年目の夏休みは九州、そして3年目の夏休みは北海道というように全国をオートバイで駆けまわった。

10年ぶりの帰郷

オートバイの旅に夢中になった僕は、ショートツーリングにもたびたび出かけた。

それは3年目の夏の終わりだった。いつものように僕はキャンプ道具をオートバイに積んで3日間の旅に出た。計画性のある旅ではない。暑い日々が続いていたから涼しい場所へ行こうと長野県方面に向けて国道19号を走り、木曽福島町にさしかかったあたりで思い立った。

乗鞍スカイラインに行こう。標高約2700mの高所まで行ける山岳道路だ(当時はマイカー規制になっていなかった)。その道路を愛車で走りたいと思って、乗鞍方面へ向かった。

その道中には生まれ育った山村がある。でもいまは縁遠い村だ。同級生たちとは会ってないし、実家も取り壊されている。郷愁に惑わされず、旅人として通過しようとオートバイを走らせた。

オートバイは次々と集落を通り過ぎていく。こんなに狭くて小さい村だったのかと驚いたし、憧れたS木先生のように自分がオートバイで村の道を走っている事実にも感動した。

ゆっくり村内の道を走っていくと、墓地の前に若者の集団がいた。スピードをゆるめて通り過ぎるつもりでいたが、見覚えのある顔を発見してブレーキをかけた。

あきらくん？　いずみちゃん？

それだけではない。山村で一緒に育った級友たちのほとんどがそこにいた。僕はオートバイを路肩に止め、ヘルメットを脱いで彼らに近寄った。

「マサキ？　マサキか！」

誰ともなく口にして、全員が驚いた顔で僕を見た。そりゃそうだろう。10年前に村を去って、消息も絶った同級生がオートバイでいきなり現れたら驚かないはずがない。

でも、どうしてみんなここにいるんだ？　質問すると近所の友達だったTくんが答えた。

「Kが死んじまった。オートバイ事故だ。Y子のお父さんのクルマとぶつかって亡くなった」

言葉が出なかった。同級生が死んだ。しかも同級生の父親と衝突して死んだ。その死を悼《いた》むためにみんなが集まった場に、たまたま僕は通りかかったのだ。偶然とはいえ、10年ぶりの帰郷と旧友たちとの再会がこのような形になるとは思いもよらなかった。

「おまえは何をやってるんだ？」

狭い村である。うちが倒産して夜逃げした話は知られているはずだ。オートバイで旅している途中だと正直に話したら、Tくんが言った。

「いつまでもふらふらしてるなよ。しっかりしろよ」

同級生からの説教に僕は苦笑した。大学に進学したとしても卒業して働いている年齢である。彼らから見ると僕はふらふらとした頼りないフリーターに見えたことだろう。

「気をつけて行けよ」と、みんなに見送られて僕は生まれ育った村をあとにした。

自分はいま自由に生きてるんだ、とあらためて思った。

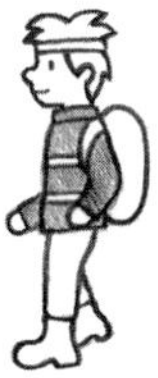

オーストラリア大陸へ

オートバイのツーリングにのめり込んだ僕は、４年生に進級するとき大きな決断をした。大学を1年間休学して、オーストラリア大陸をオートバイで旅する計画を立てたのである。

僕にとって大冒険ともいえる計画を思い立ったのは、3年生の夏休みに北海道を旅したときだ。まっすぐな道が続く大地を走っているうちに「もっと遠くへ行きたい。地平線を追って地球を旅したい」という欲求が高まった。

そして知り合った旅人に、オーストラリアと日本の間にワーキングホリデー制度があることを教えてもらい、オーストラリアの旅を思い立った。

制度ができてまだ3年目だったが、お互いの国の若者は就労可能で1年間滞在有効なワーキングホリデービザを取得できる。治安がよくて交通事情もいいオーストラリアならオートバイで大陸を旅する夢を叶えられる。外国で働いて現地で生活する貴重な体験もできる。現地でのオートバイの手配などで渡航にはそれなりの費用がかかるが、わが大学は休学したらその間の授業料を支払わなくてすむことを知って、実現せずにはいられなくなった。

とはいえ、心の葛藤はあった。決断するまでに時間もかかった。

中学や高校の同級生たちは大学生活を終えて就職している。大学の同級生たちも就職活動に入りつつある。なのに自分は1年間も日本の社会から離れるのだ。卒業後の就職を考えると1年の遅れはハンディだし、1年後に復学したとき、学友は卒業しているから僕は孤独な学生生活を送ることになる。

でも、夢を追いかけよう。将来を憂えて夢をあきらめるネガティブな自分でありたくはない。なんのしがらみもなく、自分の意志で自由に生きられることが、家も故郷も失って自活の道を歩んだ僕の特権であり、最大の武器じゃないか。

1年間の休学が将来的にハンディになったとしても、妥協せずに目標に向かって進んだ自分を後悔することはないだろう。

大学生活を振り返ったとき、自分は海外もツーリングするほどオートバイに入れ込んだと胸を張れる。それが自信となって自分を支えてくれる。社会に出て壁にぶつかったときも、勇気を出して海外へ飛び出した実績が自分を励ましてくれると思う。

母も兄も弟も反対せず、僕の決断を全面的に応援してくれたことにも勇気をもらえた（弟は僕に感化されたのか、大学卒業後に日本で就職せず、ワーキングホリデー制度でカナダに行き、その後もカナダで暮らすことになる）。

大学に休学届を提出した僕は、同級生たちに別れを告げて、名古屋のアパートを引き払った。

埼玉の母の家に居候し、オーストラリアへの渡航資金を稼ぐために、東京でアルバイトに励む生活をスタートさせた。

夢をつかむためのチケット

オーストラリアへ出発するまでに100万円の貯金を目標に、僕はアルバイトに励んだ。

1豪ドルが約200円の時代である（1米ドルは240円だった）。物価が日本よりも高いし、現地でオートバイを購入する費用もいる。1年オープンの往復航空券が格安でも28万円もしたから、オーストラリアで働くにしても当面の資金として100万円は必要だと考えた。

選んだアルバイトはスーパーに食品を卸すトラック運転手の助手だ。母が暮らす埼玉の家から都内の職場に通うのは面倒だったけど、その仕事は給料がよかったし、住居も食事も母の世話になれるから着々と貯金が増えた。弟が都内の大学に進学して家を離れた時期でもあったから、ひとり暮らしの母は僕と暮らせることがうれしかったと思う。

約4ヶ月かけてお金を貯め、オーストラリアへの航空券を購入するときだった。

西新宿の小さな旅行会社で購入しようと決めた僕は、場所を確認するため公衆電話からその会社に電話をかけた。そして貯金を下ろそうと銀行に向かって雑踏を歩いているときに気づいた。

バッグを忘れた！　預金通帳と印鑑が入った大切なバッグを電話ボックスに置きっぱなしだ。

やばい、やばい、やばい……。

心臓の音が聞こえそうだった。全力で駆け戻って、電話ボックスのドアを開けた。

バッグがない……。

目の前が暗くなって泣き崩れそうになった。電話機を叩きそうになったが、深呼吸をすることで徐々に自分を取り戻すことができた。

まだわからない。可能性はある。自分を奮い立たせて交番へ向かい、警官に状況を説明した。

「ああ。届いてますよ」

なんと！　中身を確認したらすべてあった。絶望からの大逆転だから感動もひとしおだ。

届けてくれたのは年配の女性だという。住所を教えてもらったら、かつて働いていた新聞販売店の近くだった。あの頃、一生懸命に新聞を配っていたおかげで自分は救われたんだと思った。

教えられたマンションに足を運んだが、女性は出てこなかった。インターホン越しにお礼を述べたら「落とし物や忘れ物を届けるなんて、あたりまえのことでしょ」と言われた。

日本だからありえるのだ。海外ではありえない。オーストラリアでは貴重品を肌身離さず持つように、気をゆるめないようにと、教えられた気がした。

そのあと僕は銀行でお金を下ろして、西新宿の小さな旅行会社に出かけた。安い航空券を扱う旅行会社を紹介する本が出版されていて、そのリストのなかから選んだ信頼できそうな会社だ。

雑居ビルにあった旅行会社は小さいながらも活気に満ちていた。若いスタッフの対応も好ましく、人生最高額の買い物である航空券を購入した。

その小さな会社はそれから急成長し、名前が『エイチ・アイ・エス』に変わった。

初渡航、シドニー到着

1984年7月。成田空港からシンガポール経由でオーストラリアのシドニーへと旅立った。海外旅行はもちろん、飛行機に乗るのも初めてだ。緊張しっぱなしの僕は『地球の歩き方』に書いてあるマニュアルどおりの手続きを踏んで、搭乗した。シンガポール空港に到着してシドニー行きの飛行機に乗り換えたときは緊張がマックスに達した。

日本人が誰ひとりいない。機内にいる人間はすべて外国人だ（自分も外国人なんだけど）。頼れる人は誰もいない。18歳の春に上京したとき以上の不安と孤独を感じた。

飛行機が飛び立ってしばらく経つと、隣の席の若い男に声をかけられた。思わず身構えたが、彼の話す英語はとてもわかりやすくて、自信が芽生えた。

それもそのはず、彼は日本語を交えて話していたのである。キースと名乗った男は母親が日本人で、日本に留学した帰りだという。僕がオートバイでオーストラリアを旅するために来たことを伝えると「シドニーでオートバイを買うなら僕が手助けしてあげるよ」と言った。

シドニーの空港に着くとキースの恋人が迎えにきていた。僕は誘われるがままに彼女のクルマに乗った。キースの家に着くと、ヨシコと名乗った年配の女性に迎えられた。ヨシコさんは戦争花嫁で、オーストラリアに暮らしてほぼ40年になるという。僕はキースとヨシコさんの好意に甘え、数日間キースの家に滞在させてもらえることになった。

キースに案内されてシドニー観光も楽しみ、中国人が営むオートバイのショップにも連れていってもらった。そのショップにはわが愛車、ホンダXL250Sの中古車があった。

これがいい。乗り慣れたオートバイだからトラブルがあったとしても対処できる。1100豪ドルという値段も想定の範囲内で、僕は初めて使用するトラベラーズチェックで全額支払った。

オートバイを手に入れた僕はシドニーの街を走った。字幕のない洋画をライブで見ているような感覚だ。オートバイのアクセルをひねると画面が動き出す。胸はときめきっぱなしだった。

キースの家に戻った僕はキースにたずねた。食事にしても寝床にしても、僕はキースに世話になりっぱなしだ。なぜこんなに親切にしてくれるんだ？　と。

「君が隣に座っていたからさ。そして君を好きになった」

キースの「アイライクユー」の言葉に胸がドキッとした。たまたまの出会いに心から感謝した。

翌日、僕はキースの家を出て友人のT屋が暮らすアパートへ向かった。

名古屋でオーストラリア行きを決めて、運送会社のアルバイトをはじめたとき、まったく同じことを考えているT屋に出会った。仕送りのない夜間部の大学生という境遇も年齢も同じで、僕らは意気投合した。T屋はひと足先にオーストラリアに渡り、「空港へ迎えにいく」と言ってくれたのだが、間違えて国内線に行ったものだから到着した日に会えなかった。

そのミスのおかげでキースの家にお世話になれた、といえなくもない。

大陸の最北端へ

T屋はシドニーの古いアパートの2階で4人の日本人と暮らしていた。渡豪した日本人が出入りするシドニーのワーキングホリデー事務所で知り合った同世代の男たちだ。プライバシーのない大部屋で山小屋のような共同生活をしていたが、夢を追って日本を飛び出た若者の集団だからとても居心地がよく、僕も居候させてもらえることになった。

彼らはワーキングホリデービザを活用して、農場や日本料理店などで働いていた。シドニーの生活を楽しみつつお金を貯め、そのあとで大陸を旅する計画だという。でも僕は日本で資金を貯めてきたから先に旅立つことにした。旅を終えてシドニーに戻ってから働くつもりでいた。

シドニーに着いて約10日後。T屋たちに見送られて僕はオートバイを北へ走らせた。

反時計回りに大陸を1周する予定で、最初の目的地は最北端の岬、ケープヨークだ。大陸の右上にツノのようにとんがった半島の先端で、最北端という言葉に理屈抜きに惹かれた。そこは日本に最も近い場所だから、岬の先端に立って日本に向かって何か叫ぼうと考えた。

日本で北上、となれば次第に涼しくなるイメージだが、南半球のオーストラリアは逆だ。季節は冬だったが、北へ向かうにつれて暑くなり、グレートバリアリーフで有名な観光地、ケアンズまで北上すると熱帯雨林気候になった。

めざすケープヨークは、ケアンズからさらに１０００㎞も先だ。途中から舗装路はなくなり、橋のない川を何本も越えるジャングルの悪路となった。日本列島にあてはめたら、東京から下関まで悪路を走り続けるようなものだ。何日もダートを走り続けるという冒険的なオートバイの旅に酔いしれ、日本を出発してちょうど1ヶ月後の8月15日に僕は大陸最北端の岬に立った。目の前にサンゴ礁の青い海が広がっている。この海の向こうに日本があることを思い、感慨に浸った。岬には誰もいなかったから僕は裸になり（人に見せるわけではないから露出狂ではない）、拳を握りしめた両手を掲げて思いっきり叫んだ。

「ここまで来たぞ！　僕はいま全力で生きてる。地球を旅してるんだぞ！」

自己陶酔と、このうえない達成感を味わった僕は最北端のケープヨークをあとにした。

事故はその日の夕方に起きた。

ケープヨークから１００㎞ほど南下し、どこにテントを張ろうかなと考えて見通しが利かないジャングルの砂地の道を走っていたら、突然４ＷＤのクルマが現れた。

急ブレーキをかけて車体を左に傾けたが、深い砂の轍《わだち》だからオートバイが抜け出せない。驚いたドライバーが必死にハンドルを切っている姿が目に入ったが、相手側も轍から脱出できない。

ドコーン！　という衝撃音と同時に右足に激痛が走った。

オートバイは避けられたけど、右足が避けきれず、クルマに衝突したのだ。

僕はオートバイもろともジャングルに倒れこんだ。

真夜中のジャングルドライブ

衝突事故の相手は、２台の４ＷＤでケープヨークをめざしていた中年の男性３人組だった。

僕の右足は動かず、ふくらはぎあたりに激痛が走るので骨折は間違いないが、右足以外は負傷していないし、オートバイも無事だ。

でも、どうしよう？　携帯電話のない時代である。ヘリコプターも救急車も呼べない。救急車を呼べたとしてもケアンズからは９００㎞も離れている。

３人の話によれば、ケープヨークの沖合にサーズデイアイランド（日本語訳だと木曜島）があり、そこには病院があるそうだ。俺たちが運んでやるからケープヨークの港へ行こうという話になり、夜を徹してジャングルの悪路を走破することになった。オートバイに乗れる男性がいたので、彼が僕のオートバイに乗り、僕は４ＷＤの助手席に乗り込んだ。

ケープヨークまでの１００㎞の道のりが長く感じた。自分が往復したばかりの道だから、この先にどんな難所があって、どれだけ時間がかかるのかよくわかっている。４ＷＤの車体がゆさゆさと揺れ動くたびに右足に激痛が走ったが、その痛みよりも、不安のほうが大きかった。

これから自分はどうなるんだ？　病院にたどり着けたとして、そこからどうすればいいんだ？

不安でたまらなかったが、３人の姿に救われた。僕と衝突しなければ、いまごろ３人は道中でキャンプをしてビールでも飲んでいただろう。なのに僕を救うために夜を通して、悪路に挑んでいる。どっちに事故の責任がある、という話に関係なく、僕を救うために尽力している。その姿に胸を打たれ、感謝の気持ちでいっぱいになった。

ジャングルが闇に包まれた頃、道中でキャンプしていたグループに出くわした。ケープヨークまで行く冒険ツアーのグループだった。事情を理解した彼らは「先は長い。腹ごしらえをしていきなさい」と、僕らに食事を用意してくれた。

興奮で意識していなかったが、お昼から何も食べてなかった。僕らは彼らが用意したサンドイッチをいただいた。さらに「この薬を飲みなさい。楽になるから」と、僕は薬を飲まされた。

睡眠薬だったと思う。食事をしている途中で体に力が入らなくなり、僕は崩れ落ちた。

何人かの男性が僕を支え、抱きかかえてクルマに運んでいるのがわかった。何人もの手の温もりを肌に感じて涙がこぼれ落ちた。

ひとりで気張らなくていい。世界のどこでも、困ったら遠慮せずに助けを求めればいい。他人の親切に身をまかせなさい。肌で感じる彼らの温もりが僕にそう語りかけている気がして、骨折した状態なのに安らぎを感じた。

ケープヨークには明け方に到着。フェリーで木曜島に渡り、僕は病院に運ばれた。

麻酔をかけられて目が覚めると、右足はギプスで固められていた。

その日から、予想もしなかった海外の入院生活がはじまった。

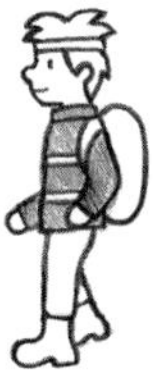

2ヶ月半の病院滞在記

木曜島での入院生活は2ヶ月半にも及んだ。

2ヶ月半の入院と聞けばかなりの重傷に思われがちだが、そうではない。僕の怪我は右足けい骨の単純骨折で、太ももから足までギプスで固定してしまえばすぐに退院できる状態にあった。しかし退院したところで行くあてもない。歩けるようになるまで（オートバイに乗れるようになるまで）、どう生活すればいいか見当もつかない。すると「治療費も入院費もただにしてやるからずっと入院すればいい」と病院の院長が提案し、2ヶ月半も入院させてもらえることになったのだ。木曜島があるクイーンズランド州は社会福祉が充実しており、住民は医療費がかからない。アバウトな熱帯の小さな離島だからなのか、旅人ひとりくらい面倒みてもかまわんだろうという話になって、僕は住民として扱ってもらえたんだと思う。

寝床があって、三度の食事もついて、若いナースに面倒をみてもらえる入院生活（研修のため、若いナースが都会から定期的に島へ派遣されていた）。自分はなんて恵まれているんだと感謝したが、それは苦悶《くもん》の日々のはじまりだった。

体は健康なのにうまく歩けないから外出もままならず、ただベッドに横たわる毎日。インターネットなどない時代である。テレビもラジオもなく、日本語の新聞も雑誌もない。観光地でない木曜島を訪れる旅人はほとんどなく、島には娯楽もない。刺激も変化もなく、ただ1日が過ぎていく退屈な島の入院生活は囚《とら》われの身のようであり、体力も脳力も衰えていく焦りも感じた。日本に帰ればこのつらい生活から解放されるはずだが、オーストラリアに来て1ヶ月程度で帰国するわけにはいかなかった。まだ東海岸を走っただけで、どこまでも地平線が続く内陸部を走っていない。その夢を実現するためには、旅の資金を療養生活で食いつぶすわけにはいかず、生活費が一切かからない木曜島での入院生活を続けることが最良の方法に思えた。

いまごろ日本の友人たちは社会に出て忙しく働いたり、就職活動に追われたりしていることだろう。それなのに自分は日本で起きていることも、世界の情勢もわからず、今日が何日の何曜日なのかもわからなくなる日々を過ごしている。自分ひとりが取り残されていく不安を感じたが、ヤシの木陰で昼寝をする島民の生活を垣間見るようになって、考えが次第に変化した。

時間に追われている日本も、木曜島も1日は同じ24時間だ。地球は世界で等しく回っている。地球に生きる人間はどう暮らしたって自由なんだ。自分は偶然にも貴重な経験をさせてもらえてるんだから、くよくよ考えずにいまの環境をただ生きよう。この経験は将来の糧《かて》になるはずだ。

そう思って、若いナースと積極的に交流して英会話の習得に励んだ。フィアナという女性が僕の担当だったけど、彼女を好きになったからなのか、彼女が話す言葉はすべて理解できたし（思い込みだけど）、彼女に対しては言いたいことがほぼ言えるようになった。

英会話上達の近道は、日本人がいない環境で人を好きになることだと悟った。

ケアンズの有名人

ケープヨークの事故から約2ヶ月半。木曜島の病院を退院して、1000km南にあるグレートバリアリーフの町、ケアンズへ飛行機で移動した。

木曜島の人々には最後までお世話になりっぱなしだった。ケアンズへの航空代は病院が負担してくれたし、オートバイをケアンズへ運ぶ船便は木曜島で運輸業を営む日系のオーストラリア人が手配してくれた。不慮の事故ではあったたし、つらい入院生活ではあったけど、人に恵まれた。

離陸直後にケアンズ行き双発機の窓から海に囲まれた木曜島を見下ろしたときは涙がこぼれた。

ケアンズは日本に最も近いオーストラリアの都市だ。いまは日本からの直行便も運航されているが、当時は国内線しかなかった。訪れる日本人も少なく、のどかな海辺の町だった。僕はイタリア系移民が経営する海岸沿いの安宿に長期滞在して、右足のリハビリ生活をはじめた。

宿の女主人は陽気な美人で、松葉杖で生活する僕を何かとかわいがってくれた。宿には世界各国の旅人が入れ替わり立ち替わり泊まりにきて、中庭のプールサイドは毎日がパーティーのように華やいでいた。彼らと過ごす時間は刺激的で、自分が国際人になった気分に浸れた。不自由で孤独な入院生活のあとだったから、ケアンズの生活はすべてが輝いて見えた。

松葉杖でケアンズの町を歩く日本人は目立っていたと思う。僕は地元の新聞の取材を受けて、

『骨折を楽しむ日本人』というタイトルで、全身写真とともに新聞の1面に大きく紹介された。

それ以降、僕はケアンズのちょっとした有名人になった。町を歩けばあちこちで声をかけられ、毎晩のように夕食に招待された。地元の中学校にも呼ばれて、日本語の授業で日本語を教えた。教えたといっても教科書の日本語を読むだけなんだけど、地元の教師は「発音がうまい」と僕を褒めてくれた。さらにグレートバリアリーフを1週間クルージングするツアーにも招待されて、ケアンズの満ち足りた暮らしをとことん楽しんだ。

折れた右足のけい骨はほぼ完治したが、ギプスで固められた期間が3ヶ月にも及んだため筋肉が衰え、右足は腕のように細くなっていた。松葉杖なしで歩けるまではかなりの時間を要した。そしてケアンズに来て2ヶ月半。新しい年になった1月中旬に僕は5ヶ月ぶりにオートバイの旅を再開した。

右の脚力は衰えたままだが、オートバイには乗れる。これ以上ケアンズにいると、内陸を走らないまま帰国することになりそうだったので、後ろ髪を引かれる思いでケアンズを旅立った。

念願だった地平線がどこまでも続く内陸部を走り、オーストラリアのへそと呼ばれるエアーズロックにも右足を引きずりながら登頂して(アボリジニの聖地だから現在は禁止されているが、当時は登ることができた)、7ヶ月ぶりにシドニーに戻った。

オーストラリア大陸1周のはずが半周で終わった。でも木曜島とケアンズに滞在したおかげで、半周のマイナスを補って余りある経験を積めた旅になった。

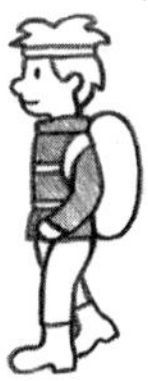

椎名誠さんからのプレゼント

ケアンズで仲良くなった日本人コーディネーターに「シイナという作家を空港へ迎えにいくけど、一緒に来るか」と誘われた。

椎名誠さんである。テレビ番組の取材でグレートバリアリーフの撮影に来るのだという。著作を何冊か持っているし、世界各地の秘境をルポする椎名さんの番組はときどき見ていた。あんなふうになれたらいいなと、アイドルに憧れる女子みたいな気持ちで椎名さんを見ていたから、僕は胸をときめかせてケアンズ空港に出かけた。

右足をギプスで固められた松葉杖の日本人の出迎えに椎名さんは驚きの表情を浮かべた。これまでの経緯を説明すると椎名さんは「大変でしたね。よかったらこれ、さしあげますよ」と、自身が編集長を務める『本の雑誌』の表紙にサインをして僕にプレゼントしてくれた。

感激した。サイン入りを汚したくなかったけど、活字に飢えていたからプレゼントされた『本の雑誌』を僕は隅々まで何度も読み返した。それは最高の贈り物であり、僕の宝物になった。

それからちょうど10年後。

シェルパ斉藤の名で雑誌『ビーパル』に紀行文を連載していた僕は、TBSのアウトドア系ラジオ番組にもレギュラー出演していた。番組がスタートして1年後くらいに椎名さんがゲスト出演することになり、僕はインタビュアーとして椎名さんを迎えた。

自己紹介すると『ビーパル』の連載、たまに読んでますよ」と椎名さんは優しく微笑んだ。

「ありがとうございます」

シェルパ斉藤を知っていてくれたことがうれしくて、心臓の鼓動が激しくなった。でも平静を装って台本どおりに「椎名さんにとってキャンプの魅力とは?」などといった質問をこなした。

そして収録が終わる寸前、僕は満を持して椎名さんに問いかけた。

「最後に個人的な質問をさせてください。椎名さんは10年前にオーストラリアを旅してますね。そのときケアンズの空港で松葉杖の日本人に迎えられたのを覚えてますか?」

キョトンとした表情になった椎名さんに、僕はあの『本の雑誌』を差し出した。

「ああ、あのときの!」

椎名さんの細い目がさらに細くなった。

「あれから10年間、がんばってきたんですね。これからもがんばってください」

椎名さんはそう言ってスタジオをあとにした。10年前と変わらぬ感動に僕は包まれた。

その後、僕は排泄《はいせつ》事情からアジアをルポする紀行文『東方見便録』を出版した。そこそこ売れたその単行本が文庫化されるとき、椎名さんは解説文を寄稿してくれた。

椎名さんのサイン入りの『本の雑誌』と、椎名さんが解説文を書いた文庫本の『東方見便録』はわが本棚に並んでいる。どちらも僕の誇りであり、宝物である。

そうだ、教師になろう！

8ヶ月に及んだオーストラリアの旅を終えて帰国した僕は、名古屋に戻って市内に新居を借り、新年度から大学に復学した。

同級生は卒業してしまって校内には友人がいない。サークル活動の類いにも無縁だったから知っている後輩もいない。オーストラリアの輝ける日々を満喫した代償として、帰国後につらい日々が待ち受けていることは覚悟していたが、予想外の事故によって孤立を強く感じた。

それは悲惨な事故だった。大学のスキー実習授業へ向かったバスが凍てつく犀川《さいがわ》のダム湖に転落し、学生22名、教員1名の命が奪われたのだ。僕はそのニュースをケアンズの宿に届いた母の手紙で知ったが、それは事故が起きて1週間以上経ってからだった。

OBも加わった全学生による追悼集会が開かれ、会場はむせび泣きに包まれたらしい。すべての大学関係者が悲しみのどん底にいたその時間に、僕はケアンズで何も知らず陽気に暮らしていたのである。不謹慎かもしれないが、悲しみを共有したことによって在校生も卒業生もお互いの絆を感じ、一体感が生まれたことだろう。リアルタイムで共有できなかった僕は、自分ひとりが仲間はずれになった疎外感を持ってしまった。

でもひとりぼっちの大学生活でも僕は平気だった。人生の新たな目標が生まれたからだ。

長かったオーストラリアの旅を通じて、教師をめざす決意を固めたのである。

少年時代に若き先生たちと同居していたから教師が身近な存在だったし、S木先生への憧れもあった。安定した職種であることも含めて教師という職業に関心を持っていたが、教育学部ではない夜間部の学生には無理だろうとあきらめていた。

でもそんなことはない。寒村で生まれ育ち、すべてを失った経験もある自分が広大なオーストラリア大陸を旅して、世界の人々とふれあって支えてもらえたのだ。誰もが自由に生きられる。人生は無限の可能性があることを、自らの経験を通して未来の生徒たちに伝えたい。

復学した僕は教務課に足を運び、教員免許取得に向けて履修登録をした。教育実習は1年前に手続きをすませなくてはならないそうで、これから手続きをすると教育実習は来年になると職員から説明を受けた。つまり教師をめざすなら、もう1年留年しなくてはならないのだ。

卒業がさらに延びるが、2浪もして休学もした僕は1年の遅れなんて平気だった。人生に遠回りなどないことを、僕はオーストラリアで学んでいる。

日中は名古屋市内の青果市場で配達のアルバイトをして、夕方に大学へ通う日々がはじまった。通うのが億劫《おっくう》だったが、教職に必要な授業は欠かさず出席した。親しく会話をする友人がいなかったおかげで授業に打ち込めて、教職に関する教科では好成績を収めることができた。

そして教育実習の手続きもすみ、1年後に僕は松本の出身高校で教育実習を受けることが決まった。

エンジンから人力へ、自転車日本縦断

オーストラリアで骨折した右足は約3ヶ月間もギプスで固定されていたため、帰国後も脚力は衰えたままだった。その右足の筋肉を鍛えるリハビリとして、僕は自転車に乗りはじめた。

兄の高校時代の友人に自転車マニアがいて、不要となったロードバイクを譲ってもらえたことがきっかけだった。ロードバイクは走りに徹した自転車だ。細いタイヤは路面の抵抗が少なく、滑らかに疾走する。長時間ペダルを漕ぎ続けてもあまり疲れを感じない。エンジンに頼らず、自分の足で進むことにも満足感を覚え、人力移動の自転車へ傾倒していった。

どうせなら日本縦断をしよう。北海道から沖縄まで自転車で走破して、骨折した右足を完全復活させよう。そう思い立って、大学の夏休みに自転車で日本縦断する旅に出た。

僕が譲り受けたロードバイクはハンドメイドの特注品で、キャリアを装着できるからテントや寝袋、着替えくらいの荷物は積める。食事は安食堂などですませ、泊まりは適当な場所で野営するスタイルで日本縦断にチャレンジした。

北海道の稚内駅まではパッキングした自転車を列車に積んでいき、稚内から宗谷岬経由で日本縦断をスタート。お尻が痛いし、足もまだ慣れていなかったので最初は思うように距離を伸ばせなかったが、がんばって南下を続けて、秋田県を越えたあたりから、体が慣れてきて1日150

kmから200kmほど走れるようになった。

寄り道や観光などはせず、ひたすら南に向かって走り続ける旅。それが楽しくて夢中になった。ナチュラルハイとでもいおうか、疲れているはずなのに自分でも不思議なくらいにペダルを漕ぎ続けられる状況がたびたび起きた。前へ、前へと、自分の足で進んでいく充実感があった。

本土最南端の鹿児島県の佐多岬までは18日間で走破。そのあと鹿児島からフェリーで沖縄本島に渡った。有人島としての最南端は八重山諸島の波照間島だけど、そこまで行くのは船を乗り継ぐ旅になる。お金に余裕がないし、右足を完治させることが目的だったので、沖縄本島最南端の喜屋《きゃん》武岬を旅のゴールに定め、8月15日に到着できるように日程調整をした。

1年前の8月15日に僕はケープヨークに立って、日本に向かって叫んでいる。1年後の8月15日はオーストラリアに向かって、世話になった人々へ向けてお礼を叫びたかったのである。

その日は台風が近づいていたため、喜屋武岬には誰もいなかった。吹き荒れる風と雨に打たれながら、僕はオーストラリアで出会った人々の名前を叫んだ。そして「アイム・スティル・ラニン・アゲインスト・ザ・ウインド」と愛聴していたボブ・シーガーの曲の歌詞を叫んだ。

日本縦断を自分の足で成功させたことで、僕は大きな自信がついた。あれほど夢中だったオートバイの旅から少し距離を置くようになったのも、日本縦断以降だ。

エンジンに頼って進む旅よりも、自分の足で進む旅のほうが達成感も満足感も大きい。いまの自分には自転車のほうが合っていることを自覚した。

7年ぶりに松本の高校に通う

1985年初夏。出身高校で教育実習をするため、7年ぶりに松本で暮らすことになった。教育実習中の住居は、松本駅の西口に近い叔母の家を頼った。夜逃げをして松本を離れるとき、犬のコロを引き取ってくれた叔母の家である。

コロはすでに亡くなっていた。穏やかな最期だったと聞き、コロは叔母に愛されて幸せだったんだなと思う反面、見捨ててしまって申しわけない気持ちにもなった。

松本の中心街は伊勢町通りも本町通りも様変わりしていた。下駄を履いて高校に通っていた時代が遠い昔に感じられた。

教育実習生として登校する初日。白馬村の民宿「やまや」さんが卒業前にプレゼントしてくれた一張羅のスーツに身を包んだ。心地よい緊張感を味わい、母校の校訓である「大道を闊歩《かっぽ》せよ」の精神で、胸を張ってかつての通学路を歩いた。

教育実習生は十数人いた。僕が担当する社会科は僕を含めて4名だ。お互いが同窓生だから彼らは思い出話に花が咲いたが、僕だけが蚊帳《かや》の外だった。僕は2浪して休学して留年もした大学4年生である。彼らと4歳差だから重なってもいない。1979年の卒業で夜間部に通っていることを自己紹介で語ったら、彼らは「何者なんだ、この男は?」という表情を浮かべた。

負けてたまるか、と思った。

人生経験を積んだ先輩として4歳下の後輩たちには負けられない。それに僕以外の教育実習生は、親から授業料も仕送りも受けて昼間の大学に通っている恵まれた学生に違いない。自分と同じ境遇の学生たちのためにも、日中に働いて夜間に大学へ通う落ちこぼれの学生でも昼間の学生と対等か、それ以上の教育実習ができることを示したかった。

教育実習生たちと微妙な壁を感じたけれど、僕を応援してくれる心強い女性がいた。

ナツコだ。

ナツコが東京の大手企業を退職して松本に帰ってきていたのだ。実家が営む店が新しくできたパルコに出店していて、ナツコはその店をまかされていた。

東京を離れて名古屋の大学に入ってからはナツコとほとんど会っていない。年賀状のやりとり程度だ。25歳になったナツコは学生の僕よりもずっと大人っぽかった。化粧をしているせいか、僕よりも年上の女性に見えた。でも会話を交わすと、あの頃のままだったし、僕との再会を喜んでくれたことが何よりうれしかった。

僕は教育実習の帰りに毎日パルコに寄ってナツコに会った。

3年間の思い出が詰まった母校で生徒に囲まれて日中を過ごし、放課後はあの頃のようにナツコと会って語り合う。

高校時代にタイムスリップしたような甘酸っぱくも充実した時間が流れた。

完全無欠の教育実習生

教育実習生の授業は声が小さくて、資料ばかり見る傾向にある。でも自分はそうしたくない。手元の教科書やノートに目を落とさず、生徒全員の顔を見て、ハキハキとした声で自分にしかできない授業を進めようと考えていた。

そのためには教える内容を完璧に覚える必要がある。僕は現代社会の授業を受け持つことになったが、教壇に立つ前に授業の内容をすべて頭に叩き込み、居候させてもらっている叔母の部屋で声に出して授業のシミュレーションを繰り返した。

暗記して覚えるだけでなく、人に教える立場になって学べば、勉強が身につくことを知った。受験生のときにこの方法を実践していれば、勉強が楽しくなってそこそこの成績が残せたんじゃないかと後悔したほどだ。

うぬぼれた話で恐縮だけど、僕の授業は教育実習生の域を越えていた。初めて教壇に立った日、生徒全員の顔を見渡して大きな声で「みなさん、おはようございます！」とあいさつしてから、一呼吸置き、明瞭な声で抑揚をつけて語り出したら教室の空気が一変した。期待感と好奇心が入り交じった生徒たちの熱い視線を感じた。

自分はエンターテイナーだ。クラスの聴衆を惹きつける1時限のライブステージを仕切るんだ。

そんな感覚で授業を進めた(のちに僕は旅やアウトドアの魅力を伝える講師としても全国各地で講演することになるのだが、その最初の登壇がこの教育実習の授業だった)。

　僕は毎回授業を早めに切り上げて、残りの10分間くらいは自分がどんな高校生活や大学生活を経験したか、どんな旅をしてきたのかを生徒たちに話して聞かせた。教科書には載っていないリアルなオーストラリアの風土や生活、自分が感じたオーストラリアなども語った。未知の世界へ勇気を出して踏み込めば人生は変わる、誰にでも可能性があることを生徒たちに伝えたかった。

　受け持ちの先生に「脱線しすぎだ」と注意されたけど、生徒たちからの人気は絶大だった。昼休みや放課後には女子を中心に教え子たちが、僕を訪ねて準備室に来るようになった。

　そして学校の帰り道。パルコのナツコの店に立ち寄って1日の出来事を報告すると、ナツコは微笑んで僕の話に耳を傾けた。

　交際相手がいないナツコは、変化に乏しい日々が続いていたのだろう。気心が知れた僕とのささやかなデートを喜んでいるようだった。大学時代に何人かの女性とつきあってきたが、彼女たちにはなかった安らぎがナツコにはあって、僕もナツコと会う時間が楽しみだった。

　教育実習の締めとして行なわれる総見の授業では、校長先生に「君は注意すべき点が何もない」と絶賛されて有頂天になった。

　自分は松本で高校教師になり、そしてナツコと……などと夢見心地の教育実習が終わった。

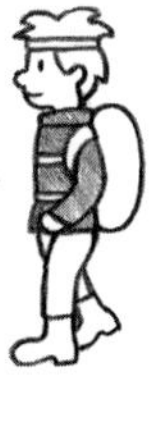

さよなら、大好きな人

教育実習の最終日。受け持った生徒たちから僕の授業に対する感想文をもらった。「いい先生になれると思います」と好意的な感想ばかりだったが、「先生ではなく、もっと大きなことをする人物になってほしい」と書いた生徒が数人いた。

その言葉に心が動いた。自分でもそう感じていたから教師をめざす決心が揺らいだ。

教育実習を張り切りすぎて、燃え尽きたのかもしれない。教育実習は感動的な体験だったけど、教師になったら同じ授業を同じ環境で毎年繰り返すことになる。いまのような情熱や新鮮な気持ちを、自分がずっと持ち続けられるだろうか？　夜逃げによって自由に生きる術を知り、オーストラリアまで出かけて自由な旅に魅せられた自分が、学校という閉ざされた空間で何年も何十年も生きていけるか、疑問に思った。

将来が安定した公務員は魅力的だけど、自分はそこを求めるべきでない。そもそも教員試験も受けてない段階でそんなことを考え込んでしまう人間は教師になれるはずがない。

じゃあ、自分は何をめざすのだ？　それが、さっぱりわからない。でも自分にしかできない何かがあるんじゃないか。教育実習で教えた生徒たちが僕の話に目を輝かせたことが大きな自信となって、自分を支えていた。

そして松本を離れる夜。

ナツコのクルマで松本郊外の美鈴湖に出かけた。ふたりになれる場所ならどこでもよかった。湖面のベンチに座り、肩を寄せ合って僕らは湖面を見つめた。空には星がきらめいていた。

「君がいたから僕はずっとがんばってこれた。ありがとう」

正直な気持ちだった。ナツコは僕に希望を抱かせ、人生に彩りを添えてくれた。

でもこれ以上、自分につきあわせるわけにはいかない。25歳にもなるのに、何をしたいのか、いまだに目標が定まっていない男はナツコにふさわしくない。つきあえば不幸になる。ナツコは松本の名家のお嬢さんだ。借金で夜逃げして松本を追われた人間とは釣り合いがとれない。松本でいい人に巡り合って、幸せになってほしい。

中学時代からの長いつきあいだけど、これで終わりにする。

大切な人だからこそ、もう会ってはならないと覚悟を決めた。ナツコも僕の気持ちを理解していたみたいだし、こんな男と一緒になるべきではないと悟っていたふしがある。

翌日、僕は松本を離れた。故郷を捨てる思いで上京した高校卒業のときと同じく、自分はここには戻らないと決意を固めた。

進むべき道は見えない。深い闇に包まれて、先の見通しが立たない。

でも、胸を張って前に進めば、きっと光は差し込む。

そう信じて自分を奮い立たせ、7年前と同じ気持ちで松本を旅立った。

ゴムボートで悠久なる大河へ

教育実習を終えて名古屋の大学生活に戻った僕は、以前から働いていた青果市場のアルバイトに復帰した。競り落とした青果を場内に運んだり、スーパーに配達したりする仕事だ。市場の仕事は夜明け前からはじまり、昼前には終わる。昼間の時間が空くため午後からサーフィンに出かける社員もいて、あるときその社員に「ゴムボート、いるか?」と声をかけられた。ゴムボートを持っているが、全然使ってないから欲しければやる、とのことだった。

各地の川を自由に旅するカヌーイストの野田知佑さんがアウトドア雑誌『ビーパル』で連載しているエッセーを愛読していて、カヌーの川旅に憧れていた。ゴムボートでも野田さんのような川旅ができるかも、と思って、僕はそのゴムボートを譲り受け、部屋でふくらませてみた。表面が経年劣化していたが、どうにか使えそうだ。ふくらませたゴムボートに背を預けて寝転んでいたら、S木先生の武勇伝が頭に浮かんだ。

S木先生は大学時代にゴムボートで信濃川を下っている。自分も大河を下ってみようか。思いついたのは、中国の揚子江だ。団体ツアーでしか旅ができなかった中国が個人でも自由旅行ができるようになり、中国に関心があった。大阪から上海行きの船が出ているし、物価の安い中国なら貧乏学生の僕でも旅費を工面できる。人がやったことのない冒険にチャレンジしたい思いもあったし、信濃川よりも大きい川を下ることでS木先生を超えたい野心もあった。それに悠久なる大河を下れば自分が何をすべきか答えが見つかるかもしれない。

よし。揚子江だ。揚子江をゴムボートで下ろう！

ゴムボートをふくらませたら、夢も大きくふくらんだ。とりあえずゴムボートを浮かべてみようと、ゴムボート未体験の僕は知多半島の海岸に出かけた。

浮かべてみて、重大な欠陥に気づいた。

ゴムボートは浮くけど、船底に穴が空いていて水が入ってくる。水辺に浮かべて遊ぶだけならいいけど、これで長期の旅をするわけにはいかない。経年劣化しているから浮力体にも穴が空く可能性がある。揚子江を旅するなら新たにゴムボートを買うべきだが、そんなお金はない。

そうだ。ゴムボートのメーカーに提供してもらおう。ダメもとでいいからチャレンジしようと、これからどんな旅をするのかを手紙に書いてメーカーに送った。

すると「提供します」の返事がきた。僕は飛び上がらんばかりに喜んだが、メーカーの担当者から「できればどこかの雑誌に書いてもらえませんか。宣伝になるので」とリクエストされた。

思い当たったのが、愛読していた『ビーパル』だ。自分が何者で、どんな人生を歩んで、どんな旅をしてきたのか、オーストラリアの稀有な体験も手紙にしたため、揚子江をゴムボートで下るので記事を書かせてくださいとお願いして、編集部に宛てて手紙を送った。

その1通の手紙が僕の未来を拓くことになる。

1通の手紙が人生を変えることもある

ビーパル編集部へ手紙を出した数日後、編集長直筆の手紙が速達で届いた。揚子江の旅の掲載が約束された手紙だった。うれしくて、手紙を何度も読み返した。編集長が自ら返事を書いて速達で送るなんて、特別なことなんじゃないか。そう思うと喜びが倍増した。

編集長の手紙には、直接会って話がしたい、上京する機会に編集部へ立ち寄ってほしい、と書かれてあったので、母が暮らす埼玉の家へ帰省した夏休みにビーパル編集部へ足を運んだ。

ビーパル編集部は小学館にある。ドラえもんもゴルゴもここから世に出るのかと思うと胸がときめいたし、緊張もしたが、編集長のI本さんが明るく迎えてくれたおかげで緊張がほぐれた。

I本さんは名古屋の大学出身だという。それで君に親しみを感じた、とも口にした。

撮影用にフィルムを20本もらって感激していると、I本さんに質問された。

「ところで、大学を卒業したらどうするの？　就職は考えてるの？」

「それがわからないから揚子江へ行くんです。揚子江を下れば答えが見つかる気がして……」

そう答えたら、目力が強いI本さんは力強い声を発した。

「だったら、うちで働けばいい。君の手紙はとてもおもしろかった。夢中で読んだ。君の文章は読者を惹きつける力がある。ライターとしてやっていける」

なんと……。自分が文章を書く仕事につくなんて、そんなことがありえるのか。憧れはあったけど、大学で文学とかマスコミの勉強を学んだ学生でなければ無理だと思っていた。

でも一流出版社の編集長が認めているのだ。そういえばオーストラリアで入院しているとき、友人たちに手紙を書いたら「マサキの手紙は臨場感があって、ビシビシ伝わってくる」と褒められた。愛読していた『ビーパル』で仕事ができるなんて最高の話だ。うまくいけば憧れの野田さんや椎名さんのように、自分も旅を書く作家になれるかもしれない。

I本さんの言葉に大いなる夢を抱いて、僕は小学館をあとにした。

それから約30年後。

定年退職したI本さんが八ヶ岳山麓の拙宅を訪れて、当時の話を語った。

あのとき、I本さんは編集長になったばかりだった。自分の雑誌となった『ビーパル』に新しい風を吹き込みたい。『ビーパル』で執筆している作家陣は名の知れたベテランばかりだから、手垢《てあか》のついていない新人を自分の手で育てたい。そう思っているところに僕からの手紙が届き、この若者に賭けてみよう、と思い立ったそうだ。

「あの手紙は本当におもしろかった」とI本さんはいまだに口にする。何をどう書いたか覚えていないが、無欲で思いの丈《たけ》を綴《つづ》ったことは確かだ。

1通の手紙が未来を拓くこともある。チャンスはどこにでもあるし、人生は可能性に満ちている。実体験者として、僕は若者にそう伝えたい。

そのとき僕は 5

1982
昭和57年
テレホンカード使用開始

公衆電話の長距離通話はたくさんの10円玉や100円玉が必要だったが、テレカの登場でその必要がなくなった。携帯電話を持たない僕はいまだにテレカを愛用している。

1982
昭和57年
長崎大水害

九州をオートバイで旅したとき、水害から2週間後に長崎を訪れた。観光するのは不謹慎に思えて、すぐに去った。災害ボランティアの発想が僕にはまだなかった。

1983
昭和58年
戸塚ヨットスクール事件

名古屋から移転したうちの大学の近くに戸塚ヨットスクールがあった。大学の友人が現場に張り込むテレビ局のアルバイトをしていた。地元のニュースに彼の姿が少し映った。

1983
昭和58年
巨人を破って西武日本一

わが西武ライオンズが日本シリーズでジャイアンツを破って優勝した。逆転、逆転の連続で第7戦までもつれた大熱戦。史上最高の日本シリーズだったと思う。

1984
昭和59年
エリマキトカゲ大ブーム

僕がオーストラリアへ行く前にエリマキトカゲがCMなどに登場して大人気になった。「おみやげにエリマキトカゲを捕まえてきて」とアルバイト先の女性に頼まれた。

1984
昭和59年
冒険家植村直己が消息不明

著作の『青春を山に賭けて』は愛読書だった。世界放浪時代の話に憧れた。オーストラリアへ旅立つ前に、僕は東京で開かれた植村さんのお別れの会に参列した。

1985
昭和60年
日航 123 便墜落事故

自転車で日本縦断中にラジオで事故を知った。テントのなかでひとり、ラジオが伝え続ける大惨事の報道に耳を傾けた。墜落現場不明の緊迫感がラジオからも伝わった。

6 フリー時代

揚子江漂流720㎞、初めての紀行文

1986年の中国は個人の自由旅行ができたとはいえ、外国人旅行者が入れない未開放地区が存在していた。

でもそれは列車やバスなどを使って移動する一般の旅行者に対する制限だ。僕はゴムボートで揚子江を流れていく漂流者だったから、未開放地区だろうが、駅がない田舎の村だろうが、どこでも入り込めた。公安の取り調べを受けたこともあるけど、逮捕されることもなく、外国人が訪れたことがない集落に上陸して地元の中国人たちとふれあった。漢字の筆談でやりとりすれば意味がわかるし、言葉が通じなくてもコミュニケーションがとれる喜びを知った。ハプニングはあったけど、危険な目に遭うトラブルはなく、中国大陸の壮大な旅をとことん楽しんだ。

上海航路の客船『鑑真号』で大阪を出航してから帰国するまで40日間。漂流した揚子江の距離約720㎞。全費用10万円を切る旅だった。

帰国後、ビーパル編集部に足を運んでフィルムを現像してもらい、執筆の打ち合わせをした。5ページの記事にする予定だが、文字数はあまり気にしなくていい。原稿用紙20枚くらいを目安に、思うがままに書けばいい。同い年の編集者M川さんにそう言われ、僕は執筆に励んだ。

旅の日記は毎日書いていたけど、それに頼る気はなかった。日記を見てしまうとそこに書いてある話を書きたくなる。5ページという枠があるんだから、そこに収めるには日記に書いた話を捨てる勇気も必要だ。揚子江の旅を振り返って、一番印象に残っているドラマを物語の中心に据え、毎号『ビーパル』を楽しみにしている自分のような読者に向けて「揚子江の旅ではこんな出会いがあったんだ」と手紙を書く感覚で、自慢話にならないように心がけて原稿を書こう。

そう考えて、集中して揚子江の旅を書き上げた。そのときの場面を思い浮かべ、どんな状況で自分はどう感じたのかを書くことで、揚子江の旅がなんだったのか、自分なりに昇華できた気もした。

直しを指摘される覚悟で仕上がった原稿をM川さんに見せたが、M川さんは「おもしろい。君らしくてとてもいい」と褒めてくれた。大幅な修正は要求されなかった。

そして大学卒業間近の3月上旬。僕の書いた紀行文が『ビーパル』に掲載された。タイトルは「六畳間でゴムボートをふくらませたら、夢までふくらんだ」だった。自分の書いた文字が、活字という形になって何十万部も印刷されて世に出たのだ。日本全国の人々が僕の文章を読んで想像をふくらませているかもしれない。自己満足ではあるけれど、そう考えたら胸が震えた。

僕は卒論を選択していなかったので、揚子江の紀行文は卒論のようにも思えた。

そして紀行文が掲載された『ビーパル』発売から約1ヶ月後、十数万円の原稿料が通帳に刻まれた。その数字を見て、自分の書いた文章に価値がついたことを実感した。

八方尾根スキー場の住み込み生活

大学生活最後の春休みは時間が空いた。教育実習のためだけに1年間余計に大学に通った4年生だったから、必要な単位は前年度に取得済みで、卒業を待つだけの身分だった。

その春休み。年明けから卒業式までの約2ヶ月半を僕はスキー場で過ごすことにした。高校時代に居候でお世話になった「やまや」さんではなく、給料がもらえるスキー場のアルバイトだ。アルバイト情報誌に何ヶ所か掲載されているスキー場のなかから、のちにオリンピックが開催されることになる白馬村の八方尾根スキー場を選んだ。

八方尾根スキー場の中腹にある宿舎に住み込んで、リフト番の仕事をするアルバイトである。学生として最後のアルバイトとなったわけだが、自分にとってそこは理想的な職場環境だった。日本を代表するスキー場で大好きなスキーをたっぷりできるからだ。週に一度の休日はリフト代が無料で、営業開始から終了まで丸一日スキーが楽しめるし、勤務日でも1時間の休憩があって、その間は自分が担当するゲレンデで順番待ちをすることなくリフトに乗ってスキーができる。雪が積もった朝はスキー客が来る前に真っ白な新雪にシュプールを描く幸せを味わえたし、リフトの営業終了後はスキー客が去ったゲレンデを高速滑走する楽しみもあった。

お金もそこそこ貯まった。日給5千円に満たなかったけど、スキー場の宿舎に3食付きの住み込みなので、お金を使う機会も必要もなく、もらった給料をそっくり貯金できた。

それにアルバイト仲間たちと宿舎で寝食をともにする共同生活が楽しかった。一緒に暮らした同僚は20人ほどいたけど、学生は僕だけで、僕以外は季節労働の自由人だった。

彼らは冬になるとスキー場に住み込みで働き、夏になると山小屋に住み込みで働く。それ以外の春や秋は国内や海外(物価の安いアジアを旅する人が多かった)を旅人として渡り歩く。40歳くらいの大人もいたけど、定職にはつかず、結婚もせず、ひとりで自由気ままな暮らしを長年続けている彼らの生きざまに、大学卒業間近の僕は勇気づけられた。

4月からは学生という身分がなくなり、自分はどこにも所属しないフリーランスという立場になる。高校の友人や大学の友人、同世代の若者のほとんどが就職して身分が保証された社会人の道を歩んでいるのに、自分は一般社会のレールからはずれた道を進もうとしている。本当にそれでいいのか？　と悩む時期だったけど、一般的な日本社会の概念にとらわれず、自由に生きている仲間の存在に救われた。自由人たちと共同生活をしたおかげで、自分が選んだ進路に対する不安はかなり解消された。

ちなみに、それから35年後。山岳雑誌の取材で白馬の山小屋に泊まったら、八方尾根スキー場で一緒にアルバイトをした仲間と再会した。

彼はその山小屋のベテランスタッフで、あの頃と変わらぬ生活をずっと続けていた。ブレることがない彼の人生に感服した。

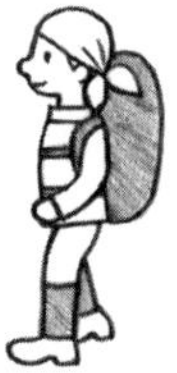

ひとりぼっちの卒業式

八方尾根スキー場のアルバイトを終えた僕は、名古屋に戻って大学の卒業式に出席した。出たかった卒業式ではない。卒業式は学友たちとの別れの場でもあるけれど、大学を1年間休学して、留年もして、2年間も遅れている僕は顔見知りの学友が誰もいない。別れを惜しむ友人が大学にはひとりもいない。

でも、僕は勇気を出して、ひとりで卒業式に臨んだ。遠回りをして時間がかかったけど、自分の力で大学生活をまっとうし、教員免許も取得して卒業までこぎつけたのだ。学友がいなくても、胸を張って卒業しよう。人生のけじめのひとつとして、卒業式には出席するべきだと考えた。

しかし、いざ卒業式の会場に足を運んだら、出席しなければよかったと後悔の念に駆られた。袴姿の女子学生たちやスーツ姿の男子学生たちはみんな明るい笑顔で朗らかに語り合っている。「おまえ、どこに決まったんだ？」と卒業後の進路報告の会話も耳に届く。

おそらくこの場にいる卒業生の大半は社会福祉関係の道に進むのだろう。大学で学んだ勉強を生かして、就職活動にも励んで、安定した公務員や会社員の道を歩むに違いない。それなのに僕は周囲の人間とはまったく別の道を歩こうとしている。本当にこれでよかったのか？　自分は選択を誤ったんじゃないのか？　八方尾根スキー場で自由人たちの生きざまに感化されたはずなのに、同年代の卒業生たちに囲まれたら自分ひとりが置いてけぼりになった孤独感を味わった。

ところが、思いもよらぬ出来事が起きた。式辞を述べていた学長が「卒業生のサイトウマサキくんは、すばらしい功績を残しました」と僕の名前を壇上で語りだし、揚子江をゴムボートで下った旅を快挙としてみんなに紹介したのである。

揚子江の旅は朝日新聞の夕刊の記事にもなっている。朝日新聞の名古屋本社に出向いて揚子江の旅を語ったら、カラー写真数枚の構成で夕刊1ページに大きく僕の旅が掲載されたのだ。

学長はその記事を目にしたのだろう。全国的に知名度が低い社会福祉系のマイナーな私学だから、新聞の見出しに大学名も記載されたことがうれしかったんだと思う。「本学の誇りであり、名誉であります」と学長は僕をたたえた。胸が震えるほどの感動を味わった。ろくに授業に出席しない不真面目な2年遅れの学生なのに、大学を卒業する日に学長が僕を名指しで評価してくれたのだ。

普通の卒業生ならこのようなことが起きたら、列席の人々は僕に目を向けるだろう。笑顔の温かい視線を僕に注いでくれるはずだ。でも誰も僕を知らないから、そうならない。両隣に並んでいる卒業生も、学長が褒めたたえた人間がすぐ横にいるなんて思わない。その状況に苦笑しつつも、僕は喜びと感動をひとりでかみしめた。

自分ひとりが別の道を選んだ不安がやわらいだ。自分が選んだ道を信じよう、と腹をくくる気になれた。学長のエールを胸に刻み、6年間の大学生活が終わりを告げた。

東京アシスタント生活

上京した僕は、保谷市（現・西東京市）に風呂なし家賃2万5千円のアパートを借りた。ライターとしてどの程度収入が得られるかわからないので家賃は抑える必要がある。23区外の保谷市は家賃の相場が安かったし、隣の大泉学園駅に結婚した兄が住んでいたことも決め手となった。兄夫婦の好意で、兄のマンションのシャワーを自由に使わせてもらえたのである。

引っ越しの片付けが終わった頃、『ビーパル』の編集者から連絡があり、編集部へ出かけた。ファッション特集号の撮影アシスタントをしてほしいと女性ライターのHさんに頼まれ、彼女の指示で撮影用のウエアをメーカーから運び、伊豆で行なわれたロケにも同行させてもらった。プロのカメラマンやモデルと接するのは初めての経験だ。僕はレフ板を持って撮影のアシストもしたが、彼らのプロ意識を目の当たりにして、自分がマスコミの世界にいる実感を得られた。

その翌月の号では、男性ライターのH田さんから仕事を頼まれた。H田さんはカヌーやフライフィッシングが得意なアウトドアズマンだ。最上川を手作り筏《いかだ》で下る企画を立てたから、揚子江をゴムボートで下った僕に手伝ってもらいたいという。

愉快なロケだった。冗談ばかり言う明るい関西人のH田さんと一緒にいるだけで楽しかったし、最上川を筏で下るようなアウトドアの遊びが仕事として成立することが痛快だった。読者にうらやましいと思わせ、夢を与えることが自分たちの役割なのだとH田さんは語った。

H田さんは僕を気に入ったようだ。最上川以降も自分の仕事を手伝ってほしいと言われた。H田さんとはウマが合ったのでうれしかったが、気になっていたことがあった。アルバイトの場合は働いた時間によって給料が計算されるが、僕のアシスタントの仕事はそういった基準がない。何時間働いたとか、何日働いたとか、労働時間が記録されていない。どのような形式で報酬がもらえるのか、編集部から知らされてないのだ。

何も知らないでこの業界に入ったのかとH田さんは笑い、システムを教えてくれた。

フリーのスタッフのギャラはページ数で計算される。1ページいくらと決まっていて、担当したページ数を掛けた金額がギャラとして支払われる。かかった時間は関係ない。撮影や取材が1日で終わろうが、1週間かかろうが、1ページは1ページ。しかも『ビーパル』の場合はページあたりの単価は一律で、キャリアが長いベテランでも、新人でも原稿料は一緒。実力のあるライターは多くのページを割り当てられるが、基本的に平等に支払われるという。

さらに学歴も年齢もキャリアも関係ないと聞いて、誰もが平等な旅人同士の出会いに似ていると思ったし、自分は弱肉強食の世界に足を踏み入れたんだ、と思った。

やがてファッション特集号のギャラが口座に振り込まれた。アシスタントのページ単価は5千円。僕が手伝ったページは10ページだったから5万円が振り込まれていた。

1ヶ月の収入が5万円。これでは生活していけない……。

7年ぶりの新聞配達

最初の月のギャラが5万円。最上川の筏《いかだ》下りのアシスタントをした月も似たような金額だった。安アパートとはいえ毎月家賃はかかるし、大学時代に借りた奨学金の返済もある。白馬村の八方尾根スキー場に約3ヶ月間住み込みで働いたおかげでそこそこ貯金があったが、赤字が続いたものだから貯金は目減りしていった。

そんなとき、ビーパル編集部に出入りしている編プロの社長に声をかけられた。

「食っていけてるか？　きついだろ。うちで雇ってあげてもいいぞ」

心が揺れ動いた。毎月の給料が保証される編プロに入社すれば食っていける。不安はなくなる。でも、それでいいのか？　自分は安定した楽な生活を望んでいるのか？

いや、違う。僕は『ビーパル』の仕事をしたくてこの世界に入ったのだ。編プロの社員になれば、『ビーパル』以外の仕事もさせられるだろう。僕はH田さんのように自分が好きな仕事、得意な仕事だけをして、仕上げた作品に誇りが持てるライターになりたい。野田知佑さんや椎名誠さんのように旅を書く作家になりたい夢もある。安定した楽な生活を求めて、妥協しちゃダメだ。すべてを失った18歳のときも自分はどうにかやってこれたんだから、なんとかなるはずだ。

その自信が僕を支えた。厳しくてもフリーのままでいようと、編プロに誘われたことで覚悟が決まった。ただし、このままでは生活できないので、アルバイトをすることに決めた。

『ビーパル』の仕事に支障が出ない範囲で選んだ職種は、朝刊を駅のキオスクにトラックで輸送する仕事だ。束になった朝刊を各駅の指定場所に運ぶだけなので、早朝の仕事だけど2時間かからずに終わるし、給料のコスパもよかった。日給3千円ほどだったと思う。

内容は違うとはいえ、再び新聞配達の仕事からスタートである。感傷的な気持ちになったが、配達担当地域も18歳のときの新宿二丁目に匹敵する驚きがあった。上野から北千住にかけての駅を僕は担当したが、そこは日雇い労働者が暮らす山谷《さんや》と呼ばれる地域である。早朝の4時前から人々がたむろしていて、トラックが通ろうがお構いなしに路上をフラフラと歩く。マンガの『あしたのジョー』や岡林信康の『山谷ブルース』で理解していたが、実際に訪れたのは初めてだったので、大勢の薄汚れた服の男たちがウロウロする姿が異様で、衝撃的だった。

でも、これも社会勉強だ。そう割り切ってアルバイトに励んだ。

アルバイトをはじめて2週間ほど経ったとき、ビーパルの先輩ライターにアルバイトの話を告げた。のちにマンガ原作者としても活躍し、『家栽の人』を書くことになるM利さんである。

アルバイトをする僕をM利さんは叱った。

「ダメだよ、バイトなんかしてちゃ。ライターはバイトをしながらやっていける仕事じゃない。バイトで逃げてるようじゃ、いつまで経っても一人前のライターになれないよ」

心に突き刺さる説教だった。返す言葉がなかった。

ライター初仕事

僕が『ビーパル』で仕事をはじめた年、新入社員のS井がビーパル編集部に配属された。都会育ちのS井は頭の回転が速くてユーモアのセンスもある。自分とは出来が違う有望な社員だけど、同じ年に『ビーパル』に入った同期生のような仲間意識があったし、ウマも合った。心を許せる良き友人でもあったから、僕はS井に悩みを打ち明けた。先輩ライターのM利さんのアドバイスに従ってアルバイトをやめたものの収入が少なくて不安な現状を話したら、S井は提案した。

「仕事がなくても編集部においでよ。サイトウさんがどういう立場なのか、編集部員はみんな理解しているから遠慮することないよ」

バブル景気に突入した時代である。編集部員は毎日、フリーのスタッフを引き連れて神保町界隈へ外食に出かけていた。高級店だろうが、費用はすべて編集部が負担した。さらに女性は22時以降、男性は23時以降になると帰宅のタクシーも手配してくれた。

編集部へ行けば、夕食代も帰りの交通費もかからないのだ。編集部にたかる自分がセコい気もしたけど、僕は編集長に誘われて業界に入った人間である。そう開き直って、毎日編集部に出かけて、夕食をごちそうになった。

それは有意義な時間だった。酒を酌み交わして食事をしながら陽気に語らう。冗談を言い合うんだけど、それが企画のヒントになり、仕事に結びつくケースがたびたび起きた。ロケから帰ったチームと食事に出かけるときは、彼らの話を聞くことで刺激を受けた。アイデアは会議室で生まれるものではないことを知ったし、諸先輩のアドバイスが勉強になった。

「この仕事が好きだと思ったら、どんなに苦しくても10年間は続けろ。10年経ってもまだ好きでいられたらそれは本物だ。逆に10年間続かなかったらその仕事が本当は好きじゃなかったと思え。別の道へ堂々と進めばいい」

カメラマンのU田さんが語った言葉が心にしみた。元気だけが取り柄の僕をどうにかしてやろうという思いやりも感じられた。

そんな日々の繰り返しのなかでチャンスが巡ってきた。S井がライターとしての仕事を僕に割り振ってくれたのである。

それは立川の公園でキャンプをするイベントの体験ルポだった。情報コラムの1ページだけの扱いだが、僕は張り切って取材に出かけ、原稿を書いた。その書き出しはいまでも覚えている。

「公園で寝泊まりするなんて、浮浪を営んでらっしゃる方だけに許される行為だと思っていた」

S井は「『浮浪を営んでらっしゃる』って表現がいい」と評価してくれた。僕の書いた原稿が『ビーパル』に掲載され、ライターの仕事がちょくちょく入りはじめた。

アシスタントのときと比べて、ページあたり5倍のギャラがもらえるようになり、ライターとして食っていける状況になりつつあった。

特集のメインライターに

新人ライターの僕は、０・９㎜で２Ｂの芯を入れたシャープペンで原稿を書いていた。

雑誌の記事はデザイナーが写真と文章のレイアウトを組み、ライターは指定された行数にぴったり収まるように原稿を書く。新人の僕にはそれがむずかしくて、書いては消し、消しては書く作業を繰り返すから、滑らかに文字が書けて消しゴムで消しやすい筆記具が必要だったのだ。

先輩ライターの多くも手書きだったが、僕が仕事をはじめてすぐに革命的な道具が普及した。ワープロである。文字の追加や削除、移動などの修正が瞬時にできたから、定められた行数に文章を収める作業が効率よく行なえる。むずかしい漢字が書けなくてもワープロが変換してくれるし、長時間原稿を書き続けても手が疲れにくい。癖が強い手書きの文字を入稿する手間が省けるから編集者にも歓迎され、ワープロはライター必携の道具になった。

思えば、ライターは資格も免許も特別な道具もいらない職業だ。ワープロという執筆に特化した道具を手に入れたことでプロ意識が芽生え（ブラインドタッチでキーボードを打つと「わー、プロ！」と言われた時代だ）、ライターとしての『ビーパル』の仕事も増えはじめた。

編集部員は６名いたが、気の合う若手編集部員Ｓ井と組む仕事は特に楽しかった。Ｓ井もそう感じているようで、Ｓ井が初めて担当する特集企画で僕はメインライターに抜擢された。

それは山小屋をはじめ、非日常を味わえるユニークな宿を紹介する特集だった。S井と僕は企画段階から編集部で毎晩遅くまで話し合って内容を詰めた。ライターたちが取材に出かけて書き上げた文章を入稿するときは僕もタイトルを考えたが、夜が明けるまで編集部で入稿作業をして頭がハイになっていたので、通常では思いつかないキャッチが次々に生まれた。

たとえば、おばあちゃんが宿泊客に民話を聞かせる古民家の宿は「老婆は1日にしてならず者の心なごます」。精進料理や座禅体験ができる宿坊は「1日だけでも大変身、3日続けば三日坊主」など、ぶっ飛んだコピーを書いたらS井は笑い転げ、その姿に僕も笑いが止まらなくなった。箸が転んでもおかしい年頃はとっくに過ぎていたけれど、僕らは青春時代の真っただ中にいた。自分たちが最前線で特集ページを制作している充足感、自分たちの努力の結晶を全国の読者に届けられる幸せを、夜が明けて朝の光が射す小学館のビルで体感した。

それ以降もS井と組む仕事はたびたびあって、夏休み特集を担当したときは、S井のクルマにキャンプ道具や遊び道具を積み込み、カメラマンのO田さんとともに3人で旅に出た。

旅先で遊び、思いついたアイデアを夏休みのイメージ写真として撮影する。目的地も決めず、夜は河原でキャンプする自由気ままな旅だ。アウトドアの遊びを紹介する雑誌をつくっている僕らが遊ばなければ、いい記事が生まれるはずがない。そう信じて大いに遊んだ。本来の意味ではないけれど、「遊びをせんとや生まれけむ」を頭に浮かべて、とことん遊び、仕事に励んだ。ライターとして一人前になりつつある自分を実感した。

未知の世界へ、全力で旅に出るのだ

編集部から毎月仕事を依頼される立場になれたが、自分から企画を提案する場合もあった。冒険者たちのネットワーク「地平線会議」のメンバーに世界の辺境を巡ったサイクリストがいるので、彼のインタビュー記事を掲載したいとS井に提案したら、S井の隣の席でやりとりを聞いていたI本編集長が口をはさんだ。

「その手の旅人の話はあまり興味がないな。それよりもサイトウくんの紀行文を読みたい。サイトウくんが旅した話を書いたほうが断然おもしろいはずだよ」

その言葉にハッとした。

フリーランスのライターになってからというもの、僕は一人前になることを目標に仕事に打ち込んできた。ページになるなら、原稿料がもらえるなら、どんな仕事も引き受けた。自分の書いた原稿が活字となって『ビーパル』に掲載されることに至福の喜びを感じてはいるものの、自分がめざす道はそこではなかった。椎名誠さんや野田知佑さんのように、旅をして旅を書く作家になることが僕の夢だったはずだ。それなのに僕は仕事のことばかり考えて旅に出ていない。旅が大好きで、毎年長き旅に出ていたのにライターの仕事をはじめてから一度も旅に出ていない。

フリーランスは会社に束縛されることなく、時間を自由にアレンジできる立場にいる。自分が納得いくまでとことん旅ができる。そこに惹かれて僕はこの道を選んだわけだし、I本編集長もそんな僕を見込んでこの業界に誘ったはずだ。

自分が一番好きなもの、夢中になれるもの、それは旅だ。旅を自由に楽しもうとしない自分はフリーランスでいる意味がない。その結論に達した途端、無性に旅に出たくなった。

沢木耕太郎さんは「未経験と経験のバランスがちょうどいい26歳は旅の適齢期」と著作に記したが、僕はまさにその適齢期にいた。自分がこれまでの人生で得た経験を武器に、未知の世界へ全力で挑みたい。列車やバスに頼らず、体を張って前に進みたい。その思いが日増しに強くなり、ライターになって半年後の１９８７年秋、僕は仕事の依頼を断って日本を飛び出した。

目的地はパキスタンと中国の国境にある標高４８８０ｍのクンジュラブ峠だ。外国人に開放していなかった国境の峠が開放されたと聞き、僕は悪路も走破できるＭＴＢ（マウンテンバイク）で、パキスタン側のカラコルムハイウエーを走って国境に立とうと考えたのだ。

クンジュラブ峠以降の旅程は決めていない。帰国の日程も未定だ。計画を立てない放浪の旅に徹したくて、往復ではなく、パキスタン行きの片道航空券のみを購入して日本を離れた。

インターネットがない時代だったが、既存の情報に頼りたくなかったので、ガイドブックも持たず、現地で得られる情報と自分の感性と体力を頼りにＭＴＢを走らせた。

それなりにつらい体験をすることになったが、想像をはるかに上回る出会いと貴重な経験を得られて、人生の宝物ともいえる旅になった。

世界最高峰のベースキャンプへ

ＭＴＢの旅は３ヶ月以上に及んだ。

クンジュラブ峠に到達後、パキスタンからインドに入り、インドからネパールに入った。旅の終わりを決めずにＭＴＢを走らせたが、ネパールで僕は旅のゴールを定めた。世界最高峰に登頂するための基地、エベレストベースキャンプである。標高５４００ｍのエベレストベースキャンプまでは旅行者が歩いていけるが、その先は登山の領域になる。いわばそこは道の終わりだ。道の終わりまで走れば長き放浪の旅を締めくくれる、と僕は考えた。

ところが、思わぬトラブルが起きた。首都カトマンズで肝炎にかかってしまったのである。

僕はすぐには帰国せず、カトマンズで日本人旅行者たちの世話になりながら約１ヶ月間の療養生活を送った。体力が衰えたため、ＭＴＢでエベレストベースキャンプをめざす旅は困難になったが、あきらめたくはなかった。来年また出直そうと決め、ＭＴＢは日本人が経営するネパールのツアー会社に預け、ネパールから日本への往復航空券を購入した。ネパールを再訪して、ＭＴＢでエベレストベースキャンプへ行かざるをえない状況に自らを追い込んだのだ。

肝炎を完治させて帰国した僕は、ビーパル編集部に足を運んだ。３ヶ月以上留守にした僕を編集部員もスタッフも温かく迎えてくれた。仕事のブランクはあったけど、特集記事を毎月のように依頼されたし、辺境を走る旅で人間的に成長したのか、以前よりもライターとしての能力が向上した気がした。体を張って行動するライターとして、周囲の評価も上がったように思う。『ビーパル』以外の雑誌の仕事も舞い込むようになり、収入も増えたが、1年前と同じくすべての仕事を断って、やり残した課題のカタをつけるためにネパールへ向かった。

それはMTBの旅とは言いがたい苦行でもあった。エベレスト街道と呼ばれるルートは歩くための道であり、MTBに乗れる区間はほんのわずかしかない。空気が薄い高地でMTBを押したり、担いだりして、エベレスト街道を踏破。念願のエベレストベースキャンプに到達できた。

そのあと、僕はインドシナ半島やスマトラ島をMTBで旅してから帰国した。日本に帰ると、時代が変わっていた。元号が昭和から平成に変わっていたのである。バブル景気は続いていて、1日数百円程度のお金でアジアをさまよっていた僕は、世間とのギャップを感じた。

ほぼ3ヶ月ぶりにビーパル編集部に足を運ぶと、ベテラン編集者に歓迎された。

「君の帰りを待っていた。君にぴったりの仕事がある」

『ビーパル』の創刊100号記念として、東京から大阪まで続く全長1300㎞以上の東海自然歩道を踏破する企画を立てたそうで、その歩き旅の連載をしないかという。

フリーランスにとって毎月の定収入が得られる連載は貴重だ。しかも憧れだった署名原稿の連載である。連載をまとめて単行本として出版できるかも、と言われ、僕は二つ返事で引き受けた。旅を書く作家になる夢、それをつかむチャンスが巡ってきた。

シェルパ斉藤からの手紙

「ネパール帰りだし、読者を歩く旅に誘うわけだからペンネームは『シェルパ斉藤』でどうだ?」『ビーパル』で東海自然歩道の連載が決まった僕に、担当編集者はそう提案した。シェルパとは、エベレスト街道があるクーンブ地方の山岳民族の名称だ。空気が薄い高地でも活躍できるシェルパはヒマラヤ登山の頼もしきサポーターであり、山岳ガイドの代名詞にもなっている。

僕は登山が得意ではないし、カタカナと名字の組み合わせはお笑い芸人やプロレスラーみたいで好きじゃなかったが、当時の『ビーパル』はこのようなペンネームの執筆者が多かった。それに一度聞いたら忘れそうにない印象的な名前だったから編集者の提案を受け入れ、シェルパ斉藤の名で執筆することになった。

東海自然歩道の旅がはじまるまで、期待感よりも不安感が上回った。全行程を歩き通す脚力には自信があったけど、連載原稿を毎月書き続ける作家としての能力には自信が持てなかった。地味な存在の東海自然歩道には特筆すべき観光地も名所もない。連載は毎月5ページ割り当てられるけど、5ページも書くネタが毎月あるのか、不安だった。

でもそれは杞憂《きゆう》に過ぎなかった。身近な場所なのに、簡単に歩ける東海自然歩道なのに、自分の足でゆっくりと歩いて旅すればおもしろい出来事が次々に起こり、思いがけない出会いもあって、再発見や感動が生まれる。世界の雄大な大陸や辺境の地にこそ大きな感動が待っていると思い込んでいた僕は、目からウロコが落ちる思いだった。

自分が書くべき世界は、これだ。特別な能力は必要とせず、誰にでもできる旅なんだけど、その人にしかできない旅がそこにある。それを読者に伝え続けることが僕の仕事であり、使命だ。

むずかしい言葉も凝った表現もいらない。自分が得意なはずの旅先から書く手紙の感覚で、自分がどういう場所にいて、どんな状況で何を思っているのかを読者に届ければいい。

そのように悟ることができて、歩く旅をとことん楽しんで原稿を書いたから、東海自然歩道の連載は読者に好評だった。一気に歩くのではなく、月に数日間歩いて西へ向かう尺取り虫方式の旅だったから、毎月新鮮な気持ちで旅を継続できたことも功を奏した。僕は旅先から読者に手紙を書く感覚で、連載の執筆に励んだ。

東海自然歩道の旅は1年8ヶ月かかって大阪の箕面山へゴールすることになるが、あと少しで旅が終わる大阪府の山中で、何気なく振り返って幾重にも連なる山並みを眺めたら、万感の思いが込み上げて胸が締めつけられた。

ここまで歩んできた道のりと、生まれ育った山村の風景が重なって、中学時代に出かけたコンサートで聴いた海援隊の歌が頭に浮かんだ。

思えば、遠くへ来たもんだ。

そのとき僕は 6

1988
昭和63年
東京ドームオープン

こけら落としとして、初来日したミック・ジャガーが東京ドームでコンサートを開いた。先輩ライターのH田さんと出かけて、ミックのパフォーマンスに酔いしれた。

1988
昭和63年
FMフジ、J—WAVE開局

88年8月8日8時8分に富士山頂に集結するイベントがあり取材に出かけた。その瞬間がFMフジの開局時刻でもあったことをFMフジ30周年特番に出たときに知った。

1989
昭和64年
昭和天皇崩御

インドネシアのスマトラ島をMTBで旅しているときに、現地の住民から天皇が亡くなったニュースを知らされた。平成の元号を知ったのは崩御から1週間後だった。

1989
平成元年
天安門事件

天安門を進む戦車の前に立ちはだかって行く手をさえぎった無防備の男の映像に胸が震えた。揚子江を下った中国での事件だから遠い世界の話に思えなかった。

1986
昭和61年
岡田有希子さん自殺

ファンではなかったけど、名古屋で暮らしているときに名古屋出身のアイドルが自殺したため大きく報道された。若者の後追い自殺が続出したことにはショックを受けた。

1986
昭和61年
写ルンです発売

最初は使い捨てカメラと呼んでいたけど、正式名称のレンズ付きフィルムが定着した。旅の臨場感を出すため写ルンですで撮った写真をあえて誌面に掲載したこともある。

1987
昭和62年
国鉄分割民営化

国鉄がJRになったとき、首都圏を走る国電もE電の愛称に変更された。E電と呼ぶのがこっぱずかしくて口にすることがなかったが、予想どおり定着せずに消滅した。

エピローグ

いま僕は松本市の市立中央図書館にいて、この原稿を書いている。

2日間にわたって出身高校で講演することになり、2日目の午前中に時間が空いたものだから、四十数年前に受験勉強を口実に放課後デートを楽しんでいた市立中央図書館に足を運んで、受験生らしき若者に交じって原稿を書いている。

加筆した原稿もコラムもすべて書き終え、あとがきだけが残っていた。最後をどう締めるか、内容は決まっているものの筆が進まない状況だったから、思い出深い市立中央図書館に頼ってみようと思った。昨夜は偶然にも、僕が生まれ故郷を旅した紀行番組がNHKのBS1で再放送された。松本に来ているタイミングで故郷の映像が全国に放送されたことにも運命的な巡り合わせを感じ、この空気感のなかで気張ることなく、最後の原稿を書き上げようと思う。

☆

『あのとき僕は』は2020年の4月から2022年の3月にかけて、毎週土曜日の『市民タイムス』に掲載された。プライベートな話だから戸惑いもあったが、回が進むにつれて筆が進んだ。生まれ育った土地の情景を思い浮かべ、故郷の人々が読む姿を想像して、あのとき僕はこう思ってたんだと、手紙をしたためる思いで原稿を書き続けた。胸の奥にしまっておいた宝物の箱を開けるような愛おしい気持ちで執筆に没頭できたし、それはとても満ち足りた時間でもあった。

連載は想像以上の反響があり、多数の投書や手紙をいただいた。読者の期待に応えるためにも納得がいくまでとことん書き続けたかったが、新聞社の都合により2年間で終えなくてはならなくなり、物語が完結しない中途半端な状況で連載は終了となった。その最終回の原稿で、僕は読者に対して次のような伝言を発した。

「18歳の春にバッグひとつで松本を旅立ったあの日を想い、明日から僕は野営道具を背負って松本から歩く旅に出ます。僕は明日の午後4時に『あがたの森公園』にいます」

連載を読んでいた方々に会いたかったし、その告知でどうなるか楽しみたい遊び心もあった。

すると『あがたの森公園』には150人もの人々が集まった。

SNSで拡散したわけでもなく、事前に告知したわけでもない。駅の掲示板に「〇〇で待つ」と記したような伝言なのに、多数の読者が足を運んでくれた。僕が毎週書き続けてきた手紙のような原稿が、人々を動かした事実に胸が震えた。そして「土曜日を楽しみにしてました」「連載をもっと続けてほしかった」という声を直接耳にして、僕はみんなの前で宣言した。

「あの連載を必ず本にします。書ききれなかった話を書き加えて1冊の本にまとめます」

約束を果たすために僕は長野市の出版社、しなのき書房を頼った。東京の大手出版社ではなく、信州の書店に置いてもらえる地元の出版社がふさわしいと考え、かつてビーパル編集部へ手紙を出したときのように、自分が何者で何をしたいのかを直筆で書いて手紙を送った。

思いは届いた。しなのき書房の林佳孝さんからすぐに連絡があり、単行本の出版が決まった。表紙や各章のイラストを担当してくれたのは、これまでにも雑誌連載や単行本でコンビを組んだ中村みつをさんだ。さらに近所に暮らすイラストレーターの松永華子さんがパラパラマンガ風の挿絵を加え、長野県の山村出身で同世代の俳優、田中要次さんが素敵な推薦文を寄せてくれた。みなさんの力で満足いく本に仕上がったことに、心から感謝したい。

連載中は「昔のことをよく覚えてますね」と読者からお褒めの言葉をいただいたが、僕は特別な才能があるわけではないし、記憶力が優れているわけでもない。しいていうなら、スマホを持たない僕は、空や山を眺めたり、犬や猫とたわむれたりしてボーッと過ごす時間が人より多いからかもしれない。スマホの小さな画面に入り込むことなく、物思いにふけっていると、あのときあだったな、と宝物のような思い出が次々に浮かんでくる。それを人々に伝えたくなる。僕に限ったことではなく、誰もが『あのとき僕は』『あのとき私は』の思い出が無数にあるはずだ。それを頭に思い浮かべる時間は幸せな時間であり、人生をより豊かにすると信じている。

最後に『あのとき僕は』の企画を提案し、2年間にわたって担当をしてくれた白澤幸恵さんにお礼を述べたい。あなたのおかげで、僕は胸にしまっておいた昔の話を書くことができた。1冊の本として世に出すこともできた。本書をあなたに捧げます。

2022年10月25日

松本市立中央図書館にて　斉藤政喜

著者
斉藤 政喜

表紙・扉イラスト ● 中村みつを

本文中イラスト ● 松永華子（きつつき工房）

編集協力 ● 白澤幸恵、オフィスえむ

あのとき僕は シェルパ斉藤の青春記
2023年2月1日　初版発行

著　者　斉藤政喜
発行者　林　佳孝
発行所　株式会社しなのき書房
〒381-2206 長野県長野市青木島町綱島 490-1
TEL026-284-7007 FAX026-284-7779
印刷製本　大日本法令印刷株式会社

ISBN 978-4-903002-78-1